하나님의 방은 여섯 평

김태평 지음

두란노

하나님의 방은 여섯 평

하나님의 방은 여섯 평

지은이 김태평
초판발행 1999. 4. 8.
5쇄발행 2005. 11. 22.
등록번호 제 3 - 203호
등록된 곳 서울시 용산구 서빙고동 95번지
발행처 사단법인 두란노서원
영업부 749-1059
F A X 080-749-3705
출판부 794-5100(#344)
인쇄처 상지인쇄

* 책값은 뒤표지에 있습니다.

ISBN 89 - 7008 - 899 - 7 03230

독자의 의견을 기다립니다.
tpress@tyrannus.co.kr
http://www.Duranomall.com

경건 생활 35

두란노서원은 바울 사도가 3차 전도 여행 때 에베소에서 성령 받은 제자들을 따로 세워 하나님의 말씀으로 양육하던 장소입니다. 사도행전19장 8-20절의 정신에 따라 첫째 목회자를 돕는 사역과 평신도를 훈련시키는 사역, 둘째 세계선교(TIM)와 문서선교(단행본 · 잡지)사역, 셋째 예수문화 및 경배와찬양 사역, 그리고 가정 · 상담 사역 등을 감당하고 있습니다. 1980년 12월 22일에 창립된 두란노서원은 주님 오실 때까지 이 사역들을 계속할 것입니다.

머리말

하나님은 겸손하게 이 세상에 오셨습니다. 구약 시대에는 여섯 평의 방에 오셨고, 신약 시대에는 말 구유에 오셨습니다.

인간은 태어나고 만나고 헤어집니다. 그리고 인간마다 자라나는 환경은 다양합니다. 그러나 여기에 우연이란 없습니다. 하나님은 사람을 향하신 아름답고 위대한 계획을 가지고 계십니다. 바울의 업적 뒤에는 바나바가 있었고, 왕국을 통일한 다윗에게는 요나단과 사무엘이 있었습니다. 또한 한 편의 영화가 성공하기 위해서는 훌륭한 주연과 함께 조연과 엑스트라도 필요합니다. 조연과 엑스트라가 존경받을 수 있는 사회는 아름답고 위대한 하나님의 계획을 조금이나마 이해할 수 있는 사회라고 생각합니다.

하나님은 주연의 모습이 아니라 마치 조연이나 엑스트라의 모습인 양 오셨습니다. 하나님의 집인 성막은 하나님의 심정을 그대로 실어 보여 주신 시청각 자료입니다. 하나님께서 성막을 직접 설계하셨습니다. 그림자로서 성막을 보여 주신 것입니다. 실체인 예수님이 이미 오셨기에 시청각 자료에 의존할 필요는 없겠지만, 우리는 시청각 교재를 통하여 실체를 더 잘 이해할 수 있습니다.

배운 지식이라기보다는 하나님께서 주신 감동으로 가상의 주인공인 철이와 함께 여행하면서 하나님의 심정을 살펴보도록 하겠습니다. 제가 철이의 심정이 되어 썼기에 독자도 철이의 심정이 되어 읽는다면 더 실감날 것입니다. 「자세히 보는 성막 여행」(도서출판 멘토)이라는 저의 책에 더욱 세세한 것이 서술되어 있습니다.

구원을 주신 하나님께 감사를 드립니다. 그리고 격려와 함께 기회를 주신 두란노서원의 하용조 목사님과 피현회 부장님께 감사를 드리고 정성으로 교정해 주신 오세실리아 자매님 및 기도해 주신 믿음의 식구들에게도 감사드리면서 부족한 것을 주님께 바칩니다.

1999년
볼티모어에서
김태평 씀

1

'뽕' 하고 가다

철이는 꿈을 별로 꾸지 않습니다.
그러나 최근 등불과 장미와 금빛 상자의
꿈을 꾸었습니다.

한치 앞을 모르면서

가슴 아픈 이야기지만, 1997년 8월, 영국의 왕세자비 다이애나가 파파라초의 눈길에서 벗어나기 위해 질주하는 차를 타고 가다가 사고를 당했습니다. 자기 생애의 마지막일 것을 알았더라면, 그녀는 결코 그 차를 타지 않았을 것입니다.

그보다 한 달 전, 대한항공 비행기를 타고 신혼 여행과 가족 휴가를 위해 괌으로 떠난 많은 사람들이 있었습니다. 그들이 만약 비행기가 추락할 것이라는 것을 알았더라면, 그 비행기를 결코 타지 않았을 것입니다. 그러나 추락할 비행기를 탄 사람들은 신나고 즐거운 마음이었습니다. 아이러니컬하게도 그 사고가 보도된 다음에 일정이 잡혀 있던 승객들은 예약을 취소하거나 덜덜 떨면서 비행기를 탔는데 아무 일도 없었습니다.

참으로 우리는 인생에 대해서 아무것도 모르면서 아는 체하며 살아갑니다. 그러다가 죽음의 소식을 대하면 숙연해집니다. 흥청망청 살아가던 온 세상이 두 여성, 테레사 수녀와 다이애나 왕세자비의 죽음을 애도하며 1997년 9월을 보냅니다.

여섯 평 방의 등불

1997년 9월 5일, 87세로 세상을 떠난 테레사 수녀는 한평생을 가난하고 고통받는 사람들을 위해 사랑을 실천했던 성인이었습니다. 교황 바오로 2세는 테레사 수녀를 인생의 실패자에게 신의 따사로움을 느끼게 한 사람이라고 말했습니다. 테레사 수녀는 다음과 같은 말을 즐겨 썼답니다.

기도하면 믿게 됩니다.
믿으면 사랑하게 됩니다.
사랑하면 섬기게 됩니다.
진실로 사랑하기를 원한다면,
용서하는 법을 배워야 합니다.

성녀라 불린 등불의 심정을 엿볼 수 있습니다. 등불은 여섯 평 남짓한 비좁고 초라한 방에서 살았고, 사람들이 접근하지 않는 버려진 곳에서 일생을 보냈지만 많은 사람의 마음의 진공을 채워 주었습니다. 등불은 마음의 공간을 채우는 방법이 무엇인가를 잘 보여 주었습니다.

화려함 속의 장미

등불이 꺼지기 며칠 전인 8월 31일, 36세의 나이로 파리에서 백만장자인 애인과 교통 사고로 사망한 영국의 왕세자비는 그녀의 나이 20세에 열세 살 연상인 찰스 왕세자와 결혼하면서 앞으로 있을 냉혹한 현실을 알지 못했습니다. 그녀는 1982년과 1984년에 두 왕자를 낳았지만, 남편이 옛 애인 카밀라 파커볼스와 밀애 관계를 지속하고 있다는 사실을 접합니다. 그래서 남편으로부터 사랑받지 못한 아내로 자살을 기도하기도 하고, 거식증으로 고생하며 30대 이후에는 애정 편력으로 얼룩진 세속적인 삶을 살았습니다.

마침내 1994년에 찰스는 파커볼스와의 간통을 시인했으며, 1995년에 다이애나는 승마 조교와의 간통을 시인했습니다. 그리고 1996년 8월에는 결국 찰스와 이혼합니다. 아름다웠던 장미는 세상 사람들의 선망과 동정은 많이 받았을지 몰라도 진정한 사랑을 받지는 못했습니다. 자신의 마음에 있는 진공을 채우기 위해 끝까지 방황했던 장미는 사랑을 받기 위해 자선을 베풀며 감동을 주기도 했지만, 그녀의 텅 빈 속마음은 장미 자신만이 알 것입니다. 여하간 장미는 많은 사람들의 마음의 진공에 바람만을 넣어 주고 세상을 뜹니다.

등불도 장미도 많은 사람들의 끝없이 긴 장례 행렬과 애도 속에서 사라져 갑니다.

요란한 행렬

지금부터 약 3000년 전, 즉 기원전 약 990년경에, 다윗 왕은 삼만 대군을 거느리고 산 중턱에 있는 아비나답의 집으로 갑니다.[1] 방금 잘 지어 놓은 다윗 성으로 하나님의 궤를 모시기 위해 거창한 행차를 한 것입니다. 갑작스런 왕의 행차를 맞이한 아비나답의 집은 야단법석입니다. 지나간 20년 간 조용히 하나님의 궤를 모셔 왔던 아비나답은 마음이 분주합니다. 대군이 도착하는지 바깥이 요란스럽습니다.

"궤를 모실 장정을 대기하라."

"새 수레를 대령하라."

카랑카랑한 목소리에 이어서 선발된 장정들이 언약궤를 메려고 궤가 모셔진 방으로 들어갑니다. 이를 듣고 보던 아비나답은 질색을 하며 "오직 제사장과 레위 자손만이 궤를 멜 수 있습니다"라며 야단합니다.[2]

다윗 왕은 급히 레위 자손에게 하나님의 궤를 메게 합니다. 바뀐 레위 자손이 정성을 다해 궤를 메고 아비나답의 집에서 나와 새 수레에 궤를 실습니다. 아름답게 장식된 새 수레 위에 얹혀진 하나님의 궤는 햇볕을 받아 눈이 부실 정도입니다. 사면 팔방이 모두 금으로 되어 있어 그 빛은 더욱 찬란하게 빛납니다. 짊어질 수 있도록 끼워져 있는 막대기(채)마저 금으로 되어 있습니다.

아비나답의 두 아들 웃사와 아히오가 수레 가까이 갑니다. 아히오는 수레 앞에서 소리치면서 수레를 몰고, 웃사는 수레와 함께 뒤쫓아갑니다. 다윗 왕과 백성이 함께 수금, 비파, 소고, 양금, 그리고 제금으로 주악을 울립니다. 백성들의 기쁨의 소리가 온 산에 꽉찬 가운데 수레가 서서히 굴러갑니다. 백성은 춤을 추고 기쁨의 열기는 더욱 높아만 갑니다. 수레를 끄는 소들도 힘차게 움직여 갑니다.

즐거움 속에 궤가 움직이는 이 광경을 보기 위해 모여든 많은 사람들로 천지가 떠내려갈 것 같습니다. 아이들도 영문을 모르고 모여듭니다. 그때 타작하는 요란한 소리에 놀란 한 마리의 소가 심히 요동을 하여 뜁니다. 다른 소도 덩달아 뜁니다. 그 바람에 수레 위의 언약궤가 쓰러지려 합니다. 울리던 주악은 멈추고, 수레를 몰고 있던 웃사는 궤가 쓰러지지 않게 온 힘을 씁니다. 소들은 다시 진정하고 궤는 제자리에 놓였지만, 순식간에 기쁨의 열기는 사라지고 잠잠함이 흐릅니다.

바로 그때 하늘로부터 하나님의 진노가 웃사에게 임하여 궤 옆에서 그를 칩니다. 웃사는 그 자리에서 죽고 맙니다. 이를 지켜보던 행렬 속의 백성들은 엄숙한 하나님의 진노에 두려움을 느끼고, 하나 둘씩 사라집니다.

다윗 왕도 웃사를 치신 하나님을 도저히 이해할 수가 없습니다. 아비나답의 집은 20년 간 온 힘을 다해 궤를 섬겼고, 오늘만 해도 웃사는 최선을 다해 궤를 보호한 것입니다. 못마땅한 다윗 왕은 웃사가 죽은 장소를 '베레스웃사'(웃사를 침)라 명명하고 다윗 성으로 그냥 돌아가고 맙니다.

언약궤는 하는 수 없이 오벧에돔의 집으로 옮겨지고, 이로 인해 오벧에돔의 집은 복을 받습니다. 단 3개월 간 섬긴 오벧에돔의 집에는 복을 내리시고, 20년 간이나 섬긴 아비나답의 아들 웃사를 죽이신 것은 이해가 되지 않습니다.

"불공평합니다. 불공평합니다."

"웃사를 왜 죽이셨습니까?"

"왜?"

얼마나 큰소리로 외쳤던지, 사람들이 와서 철이를 깨웁니다.

꿈 이야기를 하면

흔히들 좋은 꿈을 꾸고 나서 그 꿈 이야기를 하면 좋은 꿈이 '사라진다' 또는 '이루어지지 않는다'고들 합니다. 사람들은 좋은 꿈 꾸기를 바라며, 꿈의 해석이 좋기를 바라는 마음이 있습니다. 특히 입시를 앞두고, 또는 분만을 앞두고 있을 때 꿈이 좋기를 바랍니다. 소꿈, 돼지꿈, 개꿈, 뱀꿈, 태몽 등 꿈의 이름도 다양합니다.

세상 사람들만 꿈 이야기를 하는 것이 아니라, 성경에서도 꿈에 대한 이야기를 많이 합니다. 전도서 기자는 꿈은 많은 일이 있는 데서 기인한다고 말하면서 많은 꿈을 꾸면 헛된 것이 많다고 했고[3], 시편 기자도 개꿈을 꾼 사람들이 많다고 말합니다.[4] 사람은 많은 꿈을 꾸지만, 꿈 때문에 한평생을 투자한 사람은 많지 않습니다.

성경에서는 결코 "꿈을 이야기하면 이루어지지 않는다"고 말하지 않습니다. 그 대신 꿈이 이루어지는 것과 꿈을 평생 간직한 사람들의 이야기가 많이 나옵니다. 야곱이 사다리 꿈을 꾸고 변하였듯이, 이 책의 주인공 철이도 꿈에서 사다리를 보고 새로운 것을 깨닫게 됩니다.

태어나다

6·25 동란의 열기가 서서히 식어 가는 1952년 늦은 가을, 철(澈)이라는 아이가 태어납니다. 형 이름이 인철(仁澈), 의철(義澈)이니 분명히 그의 이름은 지철(知澈)이가 되어야 하는데, 아마도 마지막 아들이라고 생각된 때문인지, 외자인 철이라 불립니다. 지철 대신에 철이라 불린 것을 생각해 보면서 그는 전통을 따르는 것이 좋을 때도 있지만, 전통에서 벗어날 때에 파격의 묘미와 자유함이 있을 수 있다고 생각해 봅니다.

팔남매 중 셋째 아들인 그는 좋은 가정에서 개구쟁이로 활발하고 밝게 자랍니다. 많은 형제 자매 가운데서 자란 철이는 빠르고 약아야 자기 몫을 찾아 먹을 수 있다는 것을 어려서부터 경험합니다. 철이는 별로 꿈을 꾸지 않습니다. 간혹 꾸더라도 이루어질 때까지 말하지 않기 때문에 꿈을 꾸지 않는 아이라 불립니다.

눈빛이 '뿅' 하고 가다

어린 철이는 새로운 것을 보게 되는 순간, 눈동자가 갑자기 빛나면서 '뿅' 하고 갑니다. 철이는 즉시 방랑자가 되고, 어머니는 잃어버린 아이를 찾느라 정신을 잃을 정도가 되곤 합니다. 동네 사람들은 정신없이 헤매는 어머니를 보고 "또 애를 잃어버렸군" 하고 혀를 찹니다. 동네가 발칵 뒤집혀 찾는 중에 멀리 바닷가 선창에서 게 장사 아주머니 옆에서 태평하게 놀고 있는 아이를 발견합니다. 사람들은 진땀을 흘리는데, 그 아이는 한가로이 놀고 있는 게 아닙니까?

돌아다니는 감기는 몸이 약한 그에게 빠짐없이 찾아왔고, 돌아다니지 않는 병까지도 찾아와서 그는 자주 앓곤 합니다. 조금만 무리하면 밤에 자다가 발에 쥐가 나곤 하는데, 딱딱하게 뭉쳐진 상태로 일주일이 가곤 합니다. 바닷가에서 자란 그였지만, 친구들과 함께 헤엄치는 것은 전혀 허용되지 않습니다. 그러나 몸이 약해도 놀기를 무척 좋아합니다. 모든 일에 지기를 싫어하고 고집을 피우는 그 아이는 "마구왕 철"이라는 만화를 좋아합니다. 또 악착같이 끝장을 보는 성격입니다. 비록 조그맣고 약해도 한번 붙으면 죽기 아니면 살기로 덤비는 그를 감히 건드리는 사람이 없습니다.

"형이 문 열었으니, 연 사람이 닫아" 하고 뒤따라 들어가면서도 절대로 문을 닫지 않습니다. 반대로 철이가 문을 열 때면, "내가 열었으니, 형이 닫아" 하고 소리칩니다. 얄미운 짓을 하여 매를 맞아도 계속 태도를 바꿀 줄 모르는 아이로 자랍니다.

질투의 명수

세상 모르고 게에게 정신이 팔려 온 동네를 소란스럽게 했던 철이는 어른이 되어 또 한 번 게가 담긴 바구니를 봅니다. 그때 그는 게 바구니에다 뚜껑을 씌우지 않더라도 게들이 절대로 밖으로 나가지 못한다는 것을 알고 깜짝 놀랍니다. 이 놈이 올라가려 하면 저 놈이 꼭 잡아 끌어내리고, 저 놈이 나가려 하면 이 놈이 앞을 막습니다. 옆으로 걷는 게, 또 뚜껑이 필요 없는 게, 바구니를 신기하게 보면서 게라는 피조물은 '상대를 끌어내리는 질투의 명수'임에 틀림없는 것을 알게 됩니다.

철이는 세상이라는 바구니 속에서 게와 같은 인간들의 모습을 봅니다. 게 바구니와 같은 세상에 갇힌 사람들은 서로 물고 늘어집니다. 게들은 똑바로 보지 못해 물고 늘어지겠지만, 두 눈으로 똑바로 볼 수 있는 인간은 왜 그래야 하나 의아해 하면서 '이것이 인간의 비극이구나!' 하고 슬퍼합니다.

재수의 명수

철이는 초등학생 시절부터 박사 학위를 마칠 때까지 항상 상위권에 속한 아이였고, 주어진 환경 속에서 최선을 다하는 아이였지만 재수하는 데는 명수였습니다. 일곱 살 때 가방을 메고 학교에 갑니다. 그러나 얼마 가지 못해, "이 아이는 너무 연약해서 공부를 계속할 수 없으니, 일 년 후에 다시 와야겠습니다"라는 선생님의 말을 듣습니다.

연약하여 초등학교를 재수하게 된 철이는 중학교 입학 때에 또 재수를 하게 됩니다. 대학교 입시 때에도 분명히 지원한 과에 들어가고도 남는 실력일 뿐 아니라 학교에서는 과수석을 꿈꾸면서 원서를 써 주었는데, 철이는 시험에 떨어집니다. 철이는 2지망에 입학할 생각도, 2차 시험을 볼 생각도 않고 재수 길에 들어갑니다.

다음해에 철이는 세 살이나 아래인 동생과 같은 학번으로 같은 대학에 들어갑니다. 그래서 동생의 친구가 형의 친구이기도 합니다. 나이가 많다는 것은 철이에게 아무 부담도 약점도 아니었고, 오히려 나이에 상관없이 사람들과 잘 어울리는 비결을 배웁니다. 철이는 학창 시절의 IQ 검사에서 각각 79, 104, 114 평균하여 99를 받습니다. 그러니까 백치인 셈입니다. 그럼에도 불구하고 공부 잘하는 철이를 다른 애들은 항상 부러워합니다. 또 철이는 자기 것은 다 제쳐놓고라도 다른 아이 돕기를 무척 좋아합니다.

걸림돌이 디딤돌로

한없이 많게 생각되는 무한대에도 셀 수 있는 무한대와 셀 수 없는 무한대가 있다는 것을 배우고, 급기야는 "컵과 도넛은 같다"라는 것을 수학적으로 증명하는 시험을 치른 철이는 자신의 능력에 한계를 느끼고 전공을 바꾸어 대학원 입시에 응합니다. 말할 것도 없이 철이는 또 떨어집니다. 그래서 그는 입사 시험을 치릅니다. 이번에도 말할 것 없습니다. 또 떨어집니다. 만약에 고등학교 입시가 있었더라면 여지없이 재수를 했을 판입니다.

그런데 놀라운 것은 떨어지기의 명수인 철이는 자기가 그렇게 많이 떨어진 사실을 모르는 것입니다. 언제 떨어졌나 싶게 금방 잊고 다시 최선을 다합니다. 그가 떨어진 사실은 다른 아이들에게는 이해할 수 없는 사건입니다. "철이가 안되다니?" 하고 의아해 하지만, 그는 계속 떨어집니다.

재수의 명수인 그에게 새로운 사실이 벌어집니다. 재수의 길이 끝난 것이라고 오해하지 마십시오. 오히려 두 번째 치른 대학원 입시에서도 떨어집니다. 삼수를 하면 '재수의 명수'라는 타이틀을 박탈당할까 봐 무의식적으로 그랬는지 몰라도, 철이는 삼수의 길을 가지 않고 회사에 입사합니다. 그리고 4년 간 열심히 회사 생활을 하고 좋은 사원이 됩니다. 그저 좋은 사원이 아니라 인정받는 사원이 됩니다.

✒ 걸림돌과 디딤돌

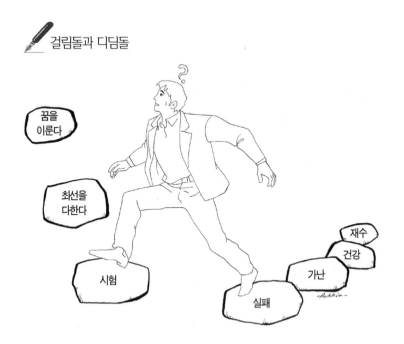

어려서부터 건강이 좋지 않았고, 또 중고등학교 등록금을 자신이 벌어야 했었지만, 그것이 철이에게는 걸림돌이 되지 않았습니다. 재수도, 건강치 못한 것도, 가난한 것도 철이에게는 걸림돌이 아니라 디딤돌이 되었던 것입니다.

'홈런 왕'이라 하면 사람들은 베이브 루스를 생각합니다. 그러나 그가 스트라이크 아웃에 있어서도 단연 앞서는 기록을 가진 사실을 사람들은 모르고 있습니다. 베이브 루스가 스트라이크 아웃에 좌절했더라면, 그는 결코 그와 같은 홈런 기록을 세우지 못했을 것입니다. '마구왕 철'이라고 별명 붙은 철이도 실패한 사실은 금방 잊고 그것을 디딤돌로 하여 다시 일어나 더 높게 올라갈 꿈을 꿉니다. 그러기에 그는 오뚝이와 같은 인생을 살아갑니다.

잘못을 가르치는 산수

철이는 어렸을 때부터 부모의 커다란 부담이었습니다. 그의 부모는 혹시나 하는 마음으로 철이가 초등학교에 다닐 때 이름을 바꾸어 줍니다. 그런 후 그는 변화하기 시작합니다. 그가 변한 후에 이름이 바뀐 것이 아니라, 이름이 바뀐 후에 성격과 체질이 변한 것입니다. 그러나 시험에 떨어지는 것은 이름이 바뀐 후에도 오랫동안 계속 되었습니다.

그는 진리 찾기를 몹시도 좋아합니다. 분수와 소수를 처음 배울 때에 분수 $\frac{1}{3}$이 0.3333…으로 3이 끝없이 나간다는 사실을 알게 됩니다. 분수 $\frac{1}{3}$을 3개 모으면, 분명히 1이 됩니다. 그러나 소수 0.3333…을 3개 더하면 0.9999…가 되고 결코 1이 될 수 없지 않느냐고 생각합니다.

$$\text{과연 } 0.999\cdots\text{가 1과 같은가(?)}$$

$$\frac{1}{3} + \frac{1}{3} + \frac{1}{3} = 1$$
$$0.333\cdots + 0.333\cdots + 0.333\cdots = 0.999\cdots$$

또 잘못된 것을 가르치는 산수는 거짓에 바탕을 두고 있다고 주장하여 선생님으로부터 몹시 꾸중을 듣게 됩니다. 어른이 된 그는 산수가 잘못되었다고 외친 그 당시 자신의 지식이 틀렸다는 사실을 너무나도 잘 압니다. 물론 그때 사실을 잘 설명해 준 사람도 없었지만, 설령 누군가가 아무리 잘 설명해 주었어도 받아들일 마음이 없는 그에게는 통하지 않았을 것입니다. 왜냐하면 이미 자신이 만든 사고의 틀에 갇혀 있었기 때문입니다.

철이는 "잘못된 것을 가르치는 산수는 싫다"고 공부를 안 하는 것이 아니라 "그래, 얼마나 많은 것을 틀리게 가르치는가를 더 찾아내겠다"고 산수 공부를 더 열심히 합니다. 어른이 된 그는 '얼마나 알고 있는가' 보다 '얼마나 자신이 모르고 있는가를 아는 것' 이 더 중요하다는 것을 깨닫게 됩니다.

위선쟁이들

그는 서울 시내 한복판에 살았지만, 집 바로 옆에 절이 있어서 풍경 소리를 들으며 사춘기를 지내게 됩니다. 유난히 불교에 대한 서적을 많이 보면서 불교의 가르침에서 진리를 느끼고, '골빈당' 처럼 아무것도 모르면서 길거리에서 "예수를 믿으라"고 외치는 예수쟁이들에게는 환멸을 느끼게 됩니다.

나약한 자신이었기에 나약한 것을 몹시 싫어했고, 또 0.9999… 와 1이 다르다고 따지기를 좋아했던 철이의 눈에 '창조'니 '부활'이니 하는 것은 마치 무식하고 소외된 정신나간 자들의 소리처럼 들린 것입니다. 그의 주위에 있는 소위 예수쟁이들은 그의 눈으로 보기에 위선쟁이들입니다. 돈 떼어 먹은 집사 이야기, 바구니의 게들처럼 서로 물고 뜯고 싸워 갈라져 있는 수많은 종파 등은 교회에 대한 반감을 부채질했습니다.

교회가 수없이 많고, 교인이라 칭하는 사람들이 많이 있고, 목청 높여 소리치며 가두 전도하는 사람들은 많았지만, 그에게 정작 '도'를 전하는 사람은 한 사람도 없었습니다. 안 하는 것이 아니라, '도'를 알지 못하기에 못 전하는 것일 테지요.

호랑이 굴로

'진리를 깨달은 자, 또 진리를 사랑하는 자'라고 자신을 생각하는 철이는 가만히 있을 수가 없었습니다. '호랑이를 잡으려면 호랑이 굴로 들어가야 한다'고 생각하고 예수쟁이들을 잡기 위해 스스로 교회로 들어갑니다.

잡으려고 교회에 들어온 것을 감추기 위해 철이는 교회에 들어가자마자 또래 그룹에서 일을 맡아 열심히 합니다. 그는 주일에는 아침 7시부터 밤 7시까지 교회에서 지냅니다. 평일에는 집 옆에 있는 절에서 들려오는 풍경 소리를 들으면서 열심히 불교 서적을 보고 토요일이면 산 속에 있는 절을 찾아가곤 합니다.

철이는 교회 일도 열심히 하고 또 성경에 대해서 목청을 높여 토론도 벌이지만, 기도하라고 하면 삼십육계 줄행랑을 치거나 미리 작성한 기도문을 읽곤 합니다. 그러면서도 철이가 교회에 계속 붙어 있는 것은 기독교의 가르침이 거짓이라는 것을 밝혀 내고야 말겠다는 의지 때문입니다.

그렇게 그는 교회 생활을 8년 동안 합니다. 그 동안 성가대 봉사, 주일 학교 교사, 대학부 간부, 청년부 간부, 게다가 주일 학교 책임도 맡았습니다. 8년이라는 세월 속에서 불교와 쇼펜하우어의 사상이 더 멋있다는 사실과 함께, 비록 교인들은 '엉터리' '위선자' 일망정 '구제와 선행'을 가르치는 기독교도 그런대로 괜찮다는 결론을 내립니다. 도리 면에서는 기독교와 불교가 크게 다를 바가 없다는 것을 알게 된 이상, 참다운 도리를 잘 모르는 사람들이 우글거리는 교회에서 구태여 기독교 도리에 빠질 필요가 없다고 생각한 그는 교회와 인연을 끊으려고 합니다.

벼룩과 상자

이 세상에서 점프의 왕자를 뽑는다면 단연 벼룩이 당선될 것입니다. 벼룩은 자기 키의 100배 넘게 뛸 수 있으니 대단한 실력입니다. 1900년에 어빙 박스터(Irving Baxter)가 높이뛰기 1,889미터를 기록할 때, 과학자들은 인간이 아무리 노력하더라도 2.15미터 이상 높이 뛰는 일은 불가능하다는 것을 여러 신체적인 증거를 대어 증명했습니다. 그런데 엉덩방아 찧는 것을 거듭하고 거듭한 포스버리(Fosbury)라는 사람이 나타나 뒤로 뛰어넘는 기법을 써서 현재는 약 2.5미터를 넘을 수 있습니다.

그렇지만 벼룩에 비하면 '새 발에 피'라고나 할 수 있는 것이지요. 그러나 점프에 명수인 벼룩도 태어나자마자 각기 다른 상자에 넣어 키우면 점프 능력이 결코 자기 상자의 높이를 넘지 못한다고 합니다. 처음에는 열심히 뛰다가 자꾸 부딪혀서 등을 다치는 것이 거듭되면, 뚜껑을 없애도 있을 때처럼 상자의 높이만큼만 뛴다고 합니다. 그러다가 아예 상자를 치워 없애도 점프의 명수는 실력 발휘를 하지 못한다고 합니다. 이 사실을 알고 철이는 자기가 혹시 이와 같이 어떤 상자의 틀 안에 있지 않는가 돌아봅니다.

✒ 벼룩과 상자

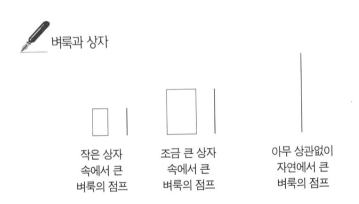

작은 상자
속에서 큰
벼룩의 점프

조금 큰 상자
속에서 큰
벼룩의 점프

아무 상관없이
자연에서 큰
벼룩의 점프

상자 속의 말

철이는 넘어지면 일어나고, 자신의 사고의 틀에 갇히지 않은 삶을 살아가려고 노력합니다. 모순투성이같이 보이는 세상, 정직한 자가 시련을 당하고 파렴치한들이 권력을 잡고 판을 치는 세상, 부정을 고발하며 데모 대열에서 생명을 무릅쓰고 날뛰던 자들도 권력이 생기면 다람쥐 쳇바퀴 돌 듯 똑같은 부정을 하는 세상을 보면서 "불공평한 세상이 어떻게 하면 바뀔 수 있을까?" 스스로 질문을 던집니다.

그렇게 살아가던 어느 날, 철이는 이상한 상자를 봅니다. 그리고 많은 사람들이 그 상자의 기준에 의해 살아가고 있음을 봅니다.

✒️ "이 상자 속의 말은 틀립니다"의 상자

> "남자는 여자이다"
> "김일성은 천재이다"
> "교인은 위선자이다"
> **"이 상자 속의 말은 틀립니다"**

그는 상자 속에 써 있는 첫 번째의 명제인 "남자는 여자이다"라는 말은 분명히 틀린 것을 압니다. 그러나 두 번째와 세 번째의 명제에 대해서는 잘 모르겠다고 고개를 갸우뚱거립니다. 그러다가 "이 상자 속의 말은 틀립니다"라는 말에 왔을 때에는 할 말이 없게 됩니다. "이 상자 속의 말은 틀립니다"라는 말도 이 상자 속에 있으니, 이 말 자체도 틀린 말입니다. 그 말이 틀린 말이면, 그 말에 의해 다른 말을 판단할 수가 없게 됩니다. 이 상자 속에서는 모든 것에 대한 가치 판단이 흐려지고 맙니다.

전제가 '거짓'이면

철이는 수학, 철학, 논리학에 아리스토텔레스의 진리표가 기초를 이루고 있다는 것을 고등학교에서 배웁니다. 그 진리표가 인간의 모든 논리의 기본이며, 그 기본 논리 중 전제가 참인 경우의 두 가지는 다음과 같습니다.

1. 전제가 '참'이고 서술이 '참'이면 그 논리는 '참'입니다.
2. 전제가 '참'이고 서술이 '거짓'이면 그 논리는 '거짓'입니다.

그런데 만약 전제가 '거짓'이면, 서술이 '거짓'이든 '참'이든 상관없이 모두 '참'이라는 것입니다.

3. 전제가 '거짓'이고 서술이 '참'이면 그 논리는 '참'입니다.
4. 전제가 '거짓'이고 서술이 '거짓'이면 그 논리는 '참'입니다.

위의 4가지가 세상의 모든 사고에 대한 진위를 가늠하는 기본 논리입니다.[5]

철이는 '전제가 잘못된 세상은 혼돈일 수밖에 없겠구나' 하는 새로운 사실을 배우게 됩니다. 그리고 대부분의 사람들이 전제에 대해서는 생각하지 않고 서술의 '참', '거짓'을 가지고 씨름한다는 것을 깨닫게 됩니다.

하지만 전제가 잘못되면 서술은 전혀 중요하지 않게 됩니다. '철이가 대통령이라면…'이라고 말한다면, 이 전제는 가정이 아니라

'거짓'입니다. 그 전제 아래에서 철이는 어떠한 말이라도 할 수 있습니다. 그리고 그것은 타당한 말로 받아들여질 수밖에 없습니다.

"남의 신발을 신고 2킬로미터를 걸은 다음에야, 신발 주인의 사정을 조금 알 수 있다"는 인디언의 속담을 들은 철이는 고개를 끄덕입니다. '내가 너라면…', '내가 대통령이라면…', '내가 목사라면…', '내가 하나님이라면…' 등의 '거짓' 전제 아래에서 이 세상의 많은 사람들이 아픔을 경험하는 것을 보고 자란 철이는 싸움과 상처의 이유를 압니다. 인간의 기본적인 논리를 나타낸 진리표에서 보듯이 전제가 '참'인가가 매우 중요하다는 것을 철이는 새삼스럽게 깨닫습니다.

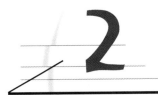

2

사다리 타기

선행 사다리에서는 '얻을지 모른다는 막연함을
가지고 해야 하기 때문에 힘들게 올라가는 것'이고,
생명 사다리에서는 '얻고 난 후 기쁨으로 하는
것이기 때문에 쉽게 올라가는 것'입니다.

골탕먹이려고 따지다

철이는 '아담과 이브가 선악과를 따먹을 것을 하나님께서는 미리 아셨어야만 한다'고 생각하고, "만약 아셨다면 왜 선악과를 두셨느냐?"고 따집니다. 따지기를 좋아하는 그가 목사님을 골탕먹일 생각으로 다음과 같이 묻습니다.

"저는 하나님을 믿습니다. 하나님이 모든 것을 아신다는 것과 모든 것을 하실 수 있다는 것과 어느 곳에나 계신다는 것을 믿습니다. 그러나 하나의 도구로 쓰인 예수를 기독교가 왜 그렇게도 중요시하는지 저는 모르겠습니다. 예수를 중요시하는 만큼 하나님의 권위를 무시하는 것이라 생각하는데, 목사님께서는 어떻게 대답하시겠습니까?"

질문에 대답을 못하고 쩔쩔매는 목사님의 모습을 보며 고소하게 생각합니다. "잘 알지도 못하면서 우매한 백성을 현혹하지 말라"는 일침을 주고 교회를 떠날 생각이었습니다.

바로 그때, 한참 동안 그를 물끄러미 바라보시던 목사님이 무거운 입을 엽니다.

"철이 학생, 명석한 머리로 그처럼 좋은 질문을 했는데, 그 머리로 성경은 무엇이라고 대답하는지를 찾아보고 가르쳐 주지 않겠는가?"

그것은 IQ가 99로서 그리 좋은 편이 아닌 철이가 접한 대답 중에 가장 현명한 대답이었습니다. 그 목사님은 돼지에게 진주를 주지 않았고, 철이는 한방 세게 얻어맞은 셈이었습니다.

사실, 목사님이 어떤 대답을 했더라도 그는 들을 자세가 아니었고, 어떻게든 따졌을 것이기 때문에 목사님의 대답은 그에게 그리

중요한 것이 아니었습니다. 앞서 보았듯이 전제가 잘못된 상태에서는 어떤 서술을 하더라도 옳기 때문에 그는 목사님의 어떠한 대답도 물고 늘어질 수 있으며 따질 것이 있었습니다. 그러나 좋은 질문을 한 명석한 아이라고 칭찬하는 듯한 목사님의 대답은 의외였습니다. 당시 그 말처럼 그를 KO패 시킬 수 있는 대답은 없었을 것입니다. 어른이 된 그는 그때 그 대답을 해주신 목사님에게 고마움을 느낍니다.

백지 한 장 차이

수양회를 따라가면서 그는 하나님께 도전합니다.

"만약에 성경이 말하는 하나님이 조물주 하나님이라는 것을 나에게 보여 주지 않으면, 이번 수양회가 당신과 마지막입니다. 나는 교회를 떠날 것입니다."

수양회를 가기 위해서 특별 휴가까지 받습니다. 그러나 예상했던 대로 아무 일도 일어나지 않았기 때문에, 교회와 작별할 결심을 하며 수양회에서 돌아옵니다.

그런데 그가 수양회에 참석했던 사흘 동안에 심한 홍수가 났고 그가 근무하던 부대의 배가 구조 작업을 하다가 한강에서 전복되는 사건이 있었습니다. 만약에 '그때 내가 거기 있었다면' 하는 생각을 하고 '삶과 죽음은 그야말로 백지 한 장 차이'라는 사실에 직면하게 됩니다. 그리고 나서 자신이 이제까지 믿고 있던 불도도, 윤리도, 철학도 죽음에 대한 답을 주지 못하고 있다는 것을 새삼 깨닫습니다. 어디로부터 와서, 어디로 가고 있는지에 대한 대답을 못 얻고 있는 사실이 그를 몹시도 괴롭힙니다.

"죽음아, 도대체 너는 누구냐?" 하고 외쳐 보지만, 허공에 울리는 소리일 뿐입니다.

같은 것과 다른 것

"우리도 한 번 잘살아 보세" 하던 70년대. 삶의 어려움에 지친 고달픈 인생길에서 탈출하기 위해 해마다 한강 다리에서 떨어져 자살하는 사람이 꽤나 있었습니다. 살아 생전에 수영을 할 줄 알던 사람이거나 맥주병과 같이 전혀 할 수 없는 사람이거나, 죽은 시체는 예외없이 얼마간은 물에 둥둥 뜹니다.

철이는 그 시체가 떠내려 오는 모습을 멀리서 봐도 남자인지 여자인지를 쉽게 알아냅니다. 하늘을 보고 누워 있으면 여자이고, 하늘을 등지고 엎어져 있으면 남자임이 틀림없습니다. 처음에는 무심코 지나쳤는데, 그런 자세로 떠 있다는 것은 우연이 아니었습니다. 그것은 무서울 정도로 정확합니다.

"누가 조절하고 있기에 이처럼 정확하단 말인가? 누가 디자인했다는 말인가?" 하고 철이는 외칩니다.

발버둥치며 살려 달란다

죽으려고 다리에서 떨어진 사람을 마지막 순간에 건져내면, "죽음의 길이 너무나 무섭다"고 말합니다. 그리고 다시 떨어져 죽은 장소로 데려가서 떨어뜨리려고 하면 살려 달라고 발버둥을 칩니다.

"조금 전까지 죽겠다고 떨어진 놈이 이제는 살려 달라고 발버둥 치느냐?"고 구박하고 보냅니다. 죽음의 두려움을 맛본 사람은 현재의 삶이 아무리 어렵고 힘들지라도 다시는 죽으려 하지 않을 것이라는 점을 철이는 잘 압니다. 한여름 동안만 해도 그가 경험한 그러한 사건은 수십 건이었습니다.

그러나 탔어야 할 배의 전복 사건을 통해 자신의 죽음을 직접 생각해 볼 때까지 그러한 사건들은 그에게 아무런 의미가 없었습니다. 이제 자신의 죽음에 대해 생각해 본 그 사건으로 인해, 그는 죽음 저편에 무서움이 존재한다는 사실을 간접적으로 알게 됩니다. 그리고 수년 후 유학 생활 중에 죽음 저편에 있는 자신의 모습을 직접 경험하기도 합니다.

열심히 사다리를 오르다

그는 인생의 어려움을 겪으면서, 열심히 인생의 사다리에 오릅니다. 아버지의 말씀에 따라 "남을 위해서 살겠다"고 하면서 진리를 소유하며 살려고 노력하는 자신을 대견스럽게 여깁니다. 한 계단씩 올라가면 올라갈수록 더 어렵다는 것을 절감합니다. 그러나 굴하지 않고 올라갑니다.

"끝이 보일 때까지 최선을 다해 가리라. 최선을 다하리라. 그러다가 불교에서 말하는 극락, 기독교에서 말하는 천국이 있다면 그곳에 가리라. 그러나 가게 허락하는 것은 조물주의 소관이니 조물주가 허락하면 갈 것이고 허락지 않으면 그만이지만, 그래도 나는 최선을 다하리라. 설령 그러한 것이 주어지지 않더라도 최선을 다하는 나의 삶에는 만족이 있느니라"고 하면서 그는 계속해서 사다리를 오릅니다.

그런데 죽음을 생각하게 되고, 또 "예수를 강조하는 것은 하나님의 권위에 대한 도전"이라고 목사님에게 따졌던 그는 이제 자신의 논리의 옳고 그름을 성경에서 찾아서 증명할 의무가 있습니다. 말씀과 진리라는 말을 가장 많이 사용한 요한복음을 펼친 그는 소스라치게 놀랍니다.

"내가 온 것은 양으로 생명을 얻게 하고 더 풍성히 얻게 하려는 것이라"[6]는 말씀에서 눈을 뗄 수가 없었습니다. 눈의 초점이 그만 그 짧은 말에 고정되었습니다. 만족하면서 풍성한 삶을 살다 보면, 언젠가 생명을 가지리라고 생각하고 있던 철이에게 이 말은 충격 그 자체입니다. 앞과 뒤가 완전히 뒤바뀐 말입니다. 생명을 얻고 나서 풍성함을 누리는 것이라니, 이 얼마나 괴상한 말인가?

생명과 풍성

생명 을 얻고 → 풍성해짐

풍성해지고 → 생명을 얻음

두 개의 사다리

그는 이제까지 하나의 벽에 있는 사다리만 알고 열심히 그 사다리를 올랐던 것입니다. 그런데 성경은 다른 또 하나의 벽이 있고 그

벽에 다른 사다리가 있다고 말하는 것이 아닙니까? 이제까지 오르던 사다리는 열심히 선을 행하면서 풍성하게 살다 보면 언젠가 좋은 것(생명)이 베풀어질지도 모른다는 사다리였습니다. 그런데 "생명을 얻고 풍성한 삶을 주기 위해 예수인 내가 왔다"고 하는 말씀에 의한 사다리는 먼저 좋은 것(생명)을 얻고 난 후 열심히 선하게 살아가면서 풍성함을 누린다는 사다리입니다. 그는 두 사다리에게 각각 '선행 사다리', '생명 사다리'라고 이름을 지어 줍니다.

삶 속에서 선을 베푼다는 관점에서 보면, 두 사다리는 같습니다. 그러나 이 둘 사이에는 분명한 차이점이 있습니다. 즉 올라가는 것은 똑같지만, 선행 사다리에서는 '얻을지 모른다는 막연함을 가지

 선행 사다리와 생명 사다리

나중에 좋은 것을 얻을지도?

좋은 것을 얻고 올라가는 사다리

선행 사다리　　　　생명 사다리

고 해야 하기 때문에 힘들게 올라가는 것'이고, 생명 사다리에서는 '얻고 난 후 기쁨으로 하는 것이기 때문에 쉽게 올라가는 것'입니다.

불교나 기독교나 그 외에 모든 윤리적인 가르침은 '착한 일을 하면서 사다리를 올라간다'는 점에서 유사할 수밖에 없다는 것을 보게 됩니다. 그러나 선을 행하면서 아무리 풍성하게 살아가더라도, 또 아무리 높게 올라가도 다른 벽의 사다리로는 옮겨 갈 수 없는 것입니다.

수가 다른 사다리

철이의 친구 중에 바둑을 잘 두는 두 친구가 있습니다. 분명히 둘 다 아마 1급으로 급수는 똑같습니다. 그러나 바둑을 둘 때 보면 한 친구가 다른 친구에게 넉 점을 깔고 둡니다. 같은 1급이지만 실제 실력에 있어서는 수가 다르기 때문입니다.

이와 같이, 두 사다리가 있어 유사한 듯하나 전혀 다른 사다리이며, 사다리가 놓인 벽도 전혀 다른 벽들입니다. 마음속 깊은 곳을 헤아려 보면, 이제까지 철이가 오르던 사다리는 좋은 것을 얻으려고 열심히 풍성하게 살아가려는 선행 사다리였습니다. 그리고 다른 또 하나의 사다리는 좋은 것을 얻어 놓고 열심히 풍성하게 살아가는 생명 사다리인 것을 봅니다.

지금까지의 선행 사다리가 나빴던 것은 아니었으나, 한 수 높은 생명 사다리를 본 그는 이제까지 오르던 선행 사다리에서 내려와 건너편 벽에 있는 생명 사다리로 갑니다. 철이가 그 생명 사다리에 가니 예수께서 팔을 벌려 생명을 주시고, 예수께서 주신 생명을 얻은 그는 즐겁고 자유로운 마음으로 사다리를 오르게 됩니다. 사다리를 오르고 있다는 점에서 겉으로는 달라진 것이 없지만, 신나고 즐거운 마음은 전혀 다른 것입니다.

그는 이제까지 처음에 오르던 사다리가 평안함을 주는 것으로 믿었습니다. 그러나 그때까지는 좋게 보였던 앎과 믿음은 더 좋은 것을 가리는 장애물이었습니다. 이제 다시 옛 사다리로 가라고 유혹하거나 협박해도 철이는 그 쪽으로 가지 않을 것입니다. 왜냐하면, 더 좋은 사다리를 찾아서 생명을 얻었기 때문입니다. 그리고 평안과 기쁨을 얻었기 때문입니다. 게다가 이것은 얻으려고 안달하는 자가 추구하는 것과는 비교가 되지 않는 생명을 얻은 자만이 누리는 풍성함입니다.

끊임없는 질문들

이제 생명을 얻고 나니 미스테리 같고 말도 안되던 것들이 해결되는 것을 경험하고 철이 스스로가 놀랍니다. 생명을 얻기 전에도 알고 있던 것이 있었습니다. 물에 뜬 시체가 누우면 여자이고 엎어지면 남자라는 사실, 어김없이 돌아가는 천체, 또 눈도 코도 없는 매화가 어김없이 피고 지는 것 등을 보면 조물주를 부인할 수 없다는 사실 등입니다. 그리고 어떤 인간도 조물주가 될 수 없다는 사실을 그는 알고 있었습니다. 그러나 그보다 더 많은 의문들이 그에게 있었습니다. 그런 의문들이 해결되는 것을 경험한 것입니다.

그런데 생명을 얻고 난 후, 그에게는 또 다른 질문 거리들이 생겼습니다.

"어떻게 단 6일 만에 세상을 창조할 수 있단 말인가?"

"해와 달은 4일째 되는 날에 창조되었는데, 어떻게 첫째 날에 빛이 있을 수 있단 말인가?"

"또 어떻게 해와 달이 없이 밤과 낮이 있다는 말인가?"

"선악과를 따먹을 것을 아셨을 텐데, 사랑의 하나님이 어떻게 그런 것을 만들어 놓으실 수가 있단 말인가?"

하나님 한 분으로 족하다

같은 증세의 환자에게 똑같은 처방을 해도 환자에 따라 각각 다른 반응을 나타낼 수 있기 때문에 그 반응에 따라 의사는 각각 다른 치료법으로 환자를 치료해야 합니다. 만약 모든 반응에 대해 잘 대처하는 의사가 있다면 그는 용한 의사로서 치료법에 대해 무엇인가를 안다고 말할 것입니다.

그런데 요즘에는 컴퓨터에 의해 용한 의사가 결정됩니다. 처방이나 치료하기 전에, 일어날 수 있는 모든 가능성을 의사에게 미리 제공하는 Artificial Intelligency〔AI(에이 아이):인공 지능〕라는 컴퓨터 기법이 바로 그것입니다. 그 기법을 배우고 난 후 철이는 '안다'는 개념을 달리 이해하게 됩니다. '에이 아이' 프로그램은 얼마나 많은 상황에 대처할 수 있느냐에 따라 성능을 평가합니다.

진실로 좋은 '에이 아이' 프로그램이라면 가능한 한 많은 상황에 대처하지만, 하나님은 어떠한 상황에도 항상 대처하실 것입니다. 하나님은 아담과 이브가 선악과를 따먹을 것을 창조하실 때에 아실 수도 있었지만 아실 필요가 없으셨습니다.[7] 따먹든 따먹지 않든 하나님은 그에 대한 대응을 하실 수 있고, 또 아실 것이기 때문입니다. 인간에게는 아담과 이브가 선악과를 따먹을 것인지 안 따먹을 것인지를 미리 아는 것이 중요하지만, 모든 상황에 대처하실 수 있는 하나님께는 중요한 것이 아닙니다. 따먹지 않았을 경우가 성경에 기록되지 않아서 단지 인간이 읽지 못했을 따름입니다.

하나님은 무엇이든지 하실 수 있고, 또 무엇이든지 아실 수 있다는 것을 철이는 다른 각도로 알게 됩니다. 할 수 있다는 것은 했다는 것을 의미하지 않습니다. 또한 알 수 있다는 것은 알았다는 것을 의미하지 않습니다. 그를 괴롭혔던 질문들에 대한 완전한 해답도 없고, 확실한 의미도 없고, 그러한 것들에 대한 이해가 어려운 부분도 있지만 생명을 얻은 철이는 이것이 사실일 수밖에 없기 때문에 사실로 받아들입니다.

하나님은 한 분으로 족합니다. 그가 하나님을 직접 볼 수 없기 때문에 예수님을 주셨고, 예수님은 그에게 없어서는 안되는 중개자이십니다. 족하신 하나님께서 그렇게 디자인하셔서 하나님을 보게 하십니다.

기적 중에 기적

철이는 기적 중에 기적을 체험합니다. 다른 사다리가 있다는 것조차 모르면서 믿는 것은 기적입니다. 성경에 무엇이 쓰여져 있는지에는 관심이 없이 그저 믿는다는 것은 믿어지지 않는 사실입니다. 그러나 그것이 현실입니다. 교회 생활 8년이라는 세월 속에 성경 한 번 통독해 보지도 않고 기독교가 '참'인지 '거짓'인지를 찾아보겠다고 했던 철이는 기적 중에 기적을 바란 셈입니다. 그러한 기적을 꿈꾸고 있던 그는 8년이라는 세월의 낭비 속에서 어떤 결론도 내릴 수 없었는데, 단지 며칠이라는 시간 동안 생명이라는 관점에서 성경을 보면서 결론을 내릴 수 있었던 것입니다.

"기독교 도리는 생명입니다. 윤리가 결코 아닙니다"라고 그는 외치고 싶습니다. 기독교 신자들이 위선자로, 미치광이로 보였던 이유를 철이는 이제야 알게 됩니다.

교회는 가슴속 깊은 곳에 도(道)가 없는 교인들에게 전도(傳道)하라고 강조하고, 도를 갖지 못한 그들이 충성하는 마음만으로 전도에 나서기 때문에 요란합니다. 전도하기에 앞서서 도를 소유함이 필요합니다. 즉 참다운 복(福)이 무엇인지를 알아야 복의 소리인 복음(福音)을 알게 되는 것입니다. '도'를 가졌으면 전할 수밖에 없고, '복'을 가진 곳에서는 '좋은 소리'가 날 수밖에 없기에 '전도'가 있게 되고 '복음'이 있게 되는 것입니다. 이제 그 사실을 알게 된 철이는 손에 칼을 잡은 셈입니다.

칼과 창을 잡다

그는 일 년 간, 거의 강훈련이 요구되는 '벤엘 성서 시리즈'라는 성경 공부를 통하여 칼을 잡은 손에 창까지 쥐게 됩니다. 지나간 8년 간을 방관자로 지냈던 그가 변하여 이제는 고발자와 비판자로 지내게 됩니다.

새롭게 손에 쥔 칼과 창은 무섭도록 예리하며 이것들을 다루는데 익숙하지 못한 그였기 때문에 이곳 저곳에 상처가 생깁니다. 잘 못된 것일수록 도려낼 때 더 아프고 흉한 것인데, 속이 드러나 흉한 것을 보면서도 그는 교회를 떠날 수가 없습니다. 왜냐하면 성경에는 진리가 있기 때문입니다. 진리 때문에 아름다워야 할 교회가 추하다는 것도 기적 중에 기적이라고 아파합니다.

유학을 가다

교회 생활과 회사 생활이 신나던 어느 날, 철이는 4년 후에 돌아올 것을 기대하고 미국으로 유학 길을 떠납니다. 유학의 길이 '평탄치는 않지만, 신천지가 앞에 펼쳐지는' 꿈 때문에 그는 그렇게 쉽게 떠날 수 있었는지도 모르겠습니다. 현실에 대한 불만족 때문이 아니라, 훗날 '그때 공부를 하지 못한' 후회를 하고 싶지 않은 마음으로 앞으로의 인생 길을 전혀 알지 못하면서 무작정 떠납니다.

만약 이렇게 오랫동안 부모 친척을 떠나 있게 될 것이라는 사실을 알았다면, 결코 유학 길에 오르지 않았을 것입니다. 그러나 먼 훗날은 고사하고 한 시간 후에 무슨 일이 일어날지도 모르는 그는 마음이 들뜬 상태로 자신만만하게 유학 길에 오릅니다. 괴나리봇짐 같은 이민 가방으로 시작하여 8개월 간 차도 없이 지낸 유학생 생활은 파란만장한 것이었습니다. 그런데 그 생활이 고통으로만 끝나는 것이 아니라 아주 멋있는 그림을 그에게 그려 줍니다.

더 미련한 자

수년에 걸쳐 저축했던 돈은 6개월도 못 되어 바닥납니다. 어려움을 겪어 본 그였지만, 그 생활은 쉬운 것이 아니었습니다. 더 어려웠던 점은 아내가 이전까지 고생이라는 단어를 들어 본 적이 없었다는 것입니다.

이제까지 그의 삶의 필요를 채워 준 손길은 이러한 상황에서도 여전히 그의 필요를 끊임없이 채워 줍니다. 그러나 그는 이것이 하나님께서 베풀어 주신 것인 동시에 자신의 노력에 대한 대가라고도 생각합니다. 그러면서 열심히 공부하고 일하며 살아갑니다.

성경의 진리에 매혹된 그는 드디어 성경 공부 모임을 만듭니다. 때를 맞추어 하나님께서는 장로님 한 분을 보내 주십니다. 그 장로님은 성경의 기초만을 다루었고, 철이는 이런 기초는 다른 사람을 위한 것이라고 생각하고 열심히 유학생들을 모읍니다.

그는 진리를 찾고 기뻐하는 영혼들을 보고 기뻐합니다. 자신은 다 안다고 생각하면서 성경 공부에 임합니다. 마침내 택한 교재의 시리즈 마지막 부분에 이르러서야 자신이 좀 배울 것이 있다고 생각합니다. 그러나 그것도 잠깐, 시리즈가 모두 끝나고 다시 시작할 때 장로님은 더 쉬운 교재를 택합니다. 그는 계속 자기가 아닌 다른 사람들이 진리를 알 수 있게 해달라고 열심히 기도합니다.

세 번째로 시작한 시리즈는 더욱 쉬운 것입니다. 그는 이제 조금씩 짜증이 납니다. 그러나 진리를 터득한 자답게 인내할 것을 다짐합니다. 그러던 중 그에게 "네가 스스로 지혜롭게 여기는 자를 보느냐 그보다 미련한 자에게 오히려 바랄 것이 있느니라"는 말씀이 임합니다. 미련한 자보다 더 못한 자라는 하나님의 음성을 듣고 철이는 바뀝니다. 이제 그는 더 쉬운 시리즈를 한다고 해도 자신에게 주는 진리의 소리에 귀를 기울이는 자세로 임하고, 똑같은 시리즈를 몇 번이나 반복해도 새롭게 감동을 받습니다.

철이가 바뀌니까

지역 목회자들의 화합을 위해 한평생을 바치고, 또 연합 예배를 성황리에 거행시킬 수 있는 축복을 받은 한 목사님을 알고 있었지만, 수년 동안 철이는 그 목사님을 속으로 비방했었습니다.

"말씀에 힘이 없으시다. 복음의 메시지가 없고, 철학과 윤리 강의만 하신다"고 불평만 했지, 정작 그분을 위해서는 기도하지 않았습니다. 그런데 미련한 자보다 더 미련한 자인 것을 깨닫고 자기 자신이 변하고 나니까, 속으로 비난하는 대신에 기도하게 되고 그 결과 목사님을 존경하게 됩니다. 중보 기도를 하는 만큼 목사님의 말씀 속에서 힘이 나고, 메시지에서 복음이 흘러 나오게 됩니다.

그는 이제 문제의 장본인이 자신인 것을 압니다. 자신이 바뀌면 모든 것이 바뀝니다. 다니던 교회에 주일 아침 성경 공부도 생깁니다. 비난하는 대신 그것을 위하여 기도하고, 자신이 변한 만큼 모든 것이 변하는 것을 보고 그는 많은 것을 깨닫습니다.

그는 두 가지의 변화, 즉 환경과 문제가 변화되는 것과, 모든 것이 그대로 있는 가운데 자신이 변화되는 것을 배우게 됩니다. 보통 환경의 변화는 '편안'해질 것을 뜻하는 것이고, 자신의 변화는 환경을 초월한 만족에서 오는 '평안'을 누리는 것입니다. 환경을 탓하는 대신 자신을 돌아보는 비결을 배운 그는 주어진 어떠한 환경 속에서도 평온할 수 있는 방법을 알게 됩니다.

고민하다

자신이 원해서 온 유학의 길이 생각하고 계획했던 대로의 유학 그 자체만이 아니라, 믿음의 훈련장이라는 사실을 깨달은 철이는 고민하게 됩니다.

"공부를 계속할 것이냐?" 아니면 "다 집어치우고 신학원에 갈 것이냐?"

고민 중에서 갈등하는 그의 의사 결정을 손쉽게 하려는 듯 환경이 바뀌어, 자신의 의지나 선호도와는 관계없이 지도 교수들이 바뀌게 됩니다. "차라리 포기하고 신학원에 갈까? 그것이 하나님의 뜻일지도 몰라" 하고 스스로 반문도 해봅니다. "그래, 환경이 그렇게 만들고 있잖아?" 하고 자위도 합니다.

그러나 신학 공부를 택하는 것이 지금까지의 힘든 학위 과정을 포기하는 것을 위장하는 수단이기도 하다는 점을 감출 수가 없습니다.

그가 이런 고민을 하고 있을 때 워싱턴에서 유학생들을 위한 무료 관광과 함께 수양회가 있다는 소식이 들려왔습니다. 머리도 식히고, 워싱턴 구경도 할 겸 여행을 떠납니다. 철이의 고민은 혼자만 하고 있는 것이 아니었습니다.

1986년 KOSTA(Korean Student in America)라는 북미 유학생 수양회에 온 많은 학생들도 같은 고민에 빠져 있는 것을 알게 됩니다. 그 수양회를 통해서 임한 음성은 "주님이 지금까지의 한걸음

한걸음을 인도하셨다"는 것입니다. 그리고 주님이 필요하실 때에 쓰임을 받는다면 그것이 단지 한 달이더라도 스스로의 결정에 의한 준비되지 않는 상태에서의 한평생 사역보다 훨씬 더 값있다는 말씀입니다.

하고 있던 공부를 끝내고 믿음 안에서 기도하며 성실히 준비하면 하나님께서 필요하신 때에 필요한 곳에 쓰실 것이라는 믿음으로 철이는 평신도 사역자로서 자신을 헌신합니다.

'준비하는 사람이 되는 것이 먼저다. 철이야, 준비해라.'
스스로에게 이렇게 말합니다.

하루하루 살아가다

생명 사다리를 발견하고 생명을 얻었고, 아는 것보다 모르는 것이 더 많다는 것을 깨닫고 영적으로 바뀐 철이었지만, 여전히 육적으로는 연약한 상태에서 병치레를 하곤 합니다.

그러던 중 1988년, 37세의 나이로 쓰러집니다. 원인 불명의 식중독. 체온은 섭씨 40도 이상. 3일 간의 비몽사몽 중에 죽음의 계곡을 봅니다. 안간힘을 쓰지만 어쩔 수 없이 강한 힘에 끌려갑니다. 그 순간 '사람이 이렇게 죽어 가는 것이구나' 하고 느낍니다.

막바지에 있던 학위 공부도, 사랑하는 아내도, 귀여운 두 딸도 전혀 생각나지 않습니다. 단지 예수의 피가, 예수의 생명이 그에게 있다는 사실이 그를 편하게 합니다. 그로 인해 마음속으로 찬송합니다.

찬송을 부르는 중에 강하게 당겨지는 힘에 빨려 자연스럽게 자신을 맡기고 순복합니다. 그리고 이 세상에서 도저히 볼 수 없는 밝음을 봅니다. 그에게는 죽음 저편이 더 이상 어두움이나 두려움이나 고통이 아닙니다. 그는 차라리 그 밝음 속으로 계속 빨려 들어가기를 소원하는 것이 좋을지도 모르겠다는 생각이 스칩니다. 그 순간 "내가 죽지 않고 살아서 여호와의 행사를 선포하리로다"[8]라는 감동과 함께 조용히 눈을 뜹니다.

그때에야 비로소 자신이 죽음의 계곡을 넘나들었다는 것을 알게 됩니다. 이제는 과거의 그가 아닙니다. 과거의 그는 죽음의 골짜기 저 건너편에 있습니다. 그때부터 그는 새롭게 하루하루를 살아갑니다.

박사가 되다

철이는 계획했던 것보다 두 배의 시간인 8년이라는 세월이 지나서야 학위를 마칩니다. 그의 학위는 그가 변하기 전까지는 끝나지 않았던 것입니다. 그 당시는 학위 취득이 왜 지연되는지를 깨닫지 못했습니다. 그런데 남을 찌르고 상처 주는 칼과 창을 '쓸 곳에 써야 하고 써야 할 때에 써야 한다'는 것을 알게 되고, 또 '모르는 것이 너무나 많다'는 것을 알고 나서야 학위를 받게 됩니다.

아내와 두 딸 외에도 많은 믿음의 식구들이 학위 받은 것을 축하해 주어서 철이는 기쁩니다. 그리고 그는 언젠가 이 박사 학위가 주님을 위해 쓰일 날이 있을 것이라 기대하고 기도합니다.

믿음의 훈련장을 거친 철이에게는 더 이상 그의 칼과 창이 주위 사람에게 심한 상처를 주는 무기가 아닙니다. 그러나, 가능하면 자기 자신을 도려내는 도구로만 사용되기를 바라지만, 여전히 그로 인해 상처 입는 사람이 있기에 괴로워합니다. 괴로워하는 만큼 성경을 보게 됩니다. 옛날 약인 구약과 새로운 약인 신약으로 된 성경은 이 세상 그 어느 것보다 효험이 있는 약인 것을 체험합니다.[9] 그 약을 팔고 싶은데, 파는 방법을 아직 철이는 잘 모릅니다.

성막을 찾아 헤매다

앞으로 어떻게 될지 전혀 모르는 채로, 철이는 오라는 여러 직장들 중에서 조건이 가장 나쁜 직장으로 인도함을 받아 미국 동부의 한 도시로 옮겨 갑니다. 이번에는 재수하지 않고도 직업을 가졌는데, 놀랍게도 전혀 깨닫지 못합니다. 사실 자신이 그렇게 재수했던 것도 못 느꼈으니까 당연한 것일지도 모릅니다.

새로운 도시로 옮겨온 철이는 가 보고 싶은 곳이 하나 있었는데, 그 곳은 다름아닌 모세가 광야에 지었다는 성막을 재현한 곳입니다. 1989년 11월 어느 날, 그는 한 친구와 성막이 있는 랜캐스터(Lancaster)로 향합니다.[10]

성막이 재현된 장소가 잘 알려지지 않아서 시내 안에서 몇 시간을 헤맵니다. 피곤하지만 기대되는 마음으로 진지하게 성막을 봅니다. 그러나 너무나 실망하여 '울려고 내가 왔던가?' 하는 생각이 그의 머리를 스칩니다. 겉모습부터가 초라하고 추한 모습입니다. 밖에서 교회를 보았을 때 추해 보인 것처럼 눈에 보이는 지붕의 초라함이란 말할 수 없고, 추한 냄새는 구역질이 나게 합니다. 그 곳에서 하는 강의식 설명이 무엇을 말하는지 이해할 수가 없어 그것 역시 많은 실망을 안겨 줍니다.

실망과 피곤으로 지친 그는 주변에서 끼니를 때우고 어느 정도 쉰 후에 돌아오는 차 안에서 친구에게 사다리 이야기를 해줍니다. 사다리 이야기가 친구에게 큰 감격을 주었고, 두 사람의 눈에는 눈물이 핑 돕니다. 성막 여행에서 받은 실망을 사다리 이야기를 통한 은혜를 나눔으로써 보상받습니다. 결국 사다리 이야기는 동갑내기인 친구를 믿음 안에서 묶어 주었습니다.

그 후 철이는 성경 말씀으로, 친구는 기도와 찬양으로 서로 눈시울이 뜨거워지는 것을 수없이 체험합니다. 성막에 가서 실망했지만, 결코 헛수고한 것만은 아니었습니다. 출애굽기 후반부와 레위기를 이전보다 손쉽게 읽을 수 있게 되었습니다. 그 후로 철이는 두 번 더 성막에 갑니다. 세 번째의 성막 여행에서 철이는 전에 보지 못한 것을 보고 자지러지게 놀랍니다.

 성막 평면도

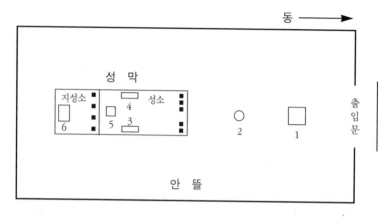

	치수〔일 규빗은 대략 $1\frac{1}{2}$피트(ft)와 같다. 약 45cm〕	평수
안 뜰−100×50 규빗×5 (45×22.5×2.25m)		316
출입문−20 규빗×5 (9×2.25m)		
성 막−30×10×10 규빗 (45×15×15ft)		19
성 소−20×10×10 규빗 (30×15×15ft)		12.6
지성소−10×10×10 규빗 (15×15×15ft)		6.3

1. **번제단**−5×5×3 규빗 (2.25×2.25×1.35m)
2. **놋대야(물두멍)**−크기 없음
3. **금등대**−크기 없음
4. **떡 상**−2×1×1.5 규빗 (90×45×68cm)
5. **분향단**−1×1×2 규빗 (45×45×90cm)
6. **언약궤**−2.5×1.5×1.5 규빗 (113×68×68cm)

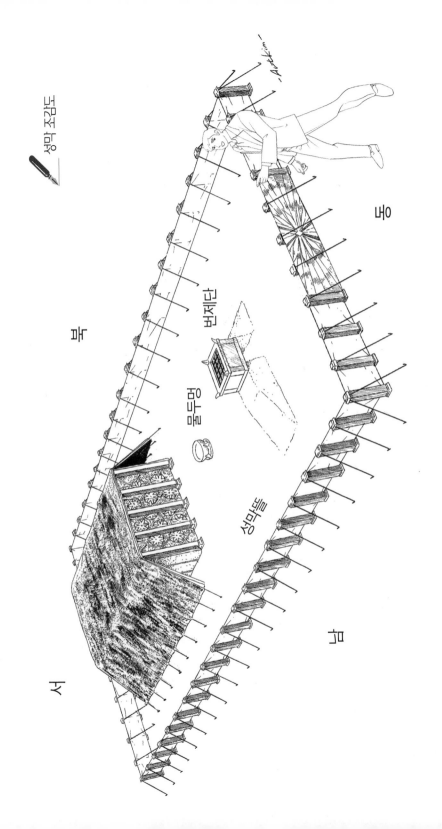

성막 조감도

번제단

물두멍

성막뜰

동

남

서

북

Artkim

3

하나님의 방은 여섯 평

천지의 소유자가 조그마한 대지 위에,
그것도 단지 여섯 평 남짓한 방에 거하시는데, 많은
인간들은 그보다 큰 방에 거하면서도 불평을 합니다.

하나님의 집

성막에 가면서 헤맨 것은 성막이 굉장히 크고 잘 알려진 곳이라 누구라도 다 알 수 있을 것이라 생각하고 사전에 알아보지도 않은 채 떠났기 때문입니다. 마치 남산 아랫골에 사는 최 서방 집을 찾아나선 시골 양반 같은 격입니다.

철이는 성막의 대지가 45미터에 22.5미터로 이루어진 약 300평 남짓밖에 되지 않는다는 것을 알게 되고, 사람들이 자그마한 성막에는 왜 관심이 없는지를 알게 됩니다. 여하튼 천하 만물의 창조주이신 하나님의 집이 보통 미국 서민들의 집 크기라는 사실에 철이는 놀랍니다. 그의 집도 그 성막과 비슷한 크기의 1/4에이커인데도 가족에게는 불평하는 마음이 서서히 생기고 있습니다. 그런데 천하 만물을 만드신 하나님은 그 크기의 대지를 원하셨습니다. 자기를 비워 낮아지시고자 하는 하나님의 모습을 봅니다.

부자

어떤 사람이 부자와 가난한 자에 대해 한 말이 생각납니다. "아무리 많이 가지고 있어도 더 가지기 위해 욕심을 내는 자는 가난한 자이고, 적게 가지고 있어도 만족하면서 나누어 줄 줄 아는 사람은 부자이다. 이 말을 기억할 때 또 다른 한 생각이 떠오릅니다.

"그래! 이 세상에는 많이 가진 부자도 있고 적게 가진 부자도 있는 반면에, 많이 가진 가난한 사람도 있고 적게 가진 가난한 사람도 있겠다"는 것입니다.

나단 선지자는 우리아의 아내 밧세바를 가로챈 다윗을 많이 가진 가난한 자의 모습이라고 질책했습니다. 거부였던 이병철 씨는 많이 가진 부자였을까요, 아니면 많이 가진 가난한 자였을까요? 하나님은 진정으로 많이 가진 부자의 모습을 300평 속에서 보여 주십니다. 천하의 소유주이신 하나님은 당신이 거하실 집을 위해 손바닥만한 땅을 요구하시고, 하얀색 천의 울타리 막을 치라고 하십니다.

안과 밖

철이는 에스겔서를 읽다가 성전의 울타리가 속된 것과 속되지 않은 것을 나누고 있다는 것을 배우게 됩니다.[1] 울타리는 하얀색이고, 구별하여 나누고 있음을 보며 "하얀색은 거룩과 관련이 있겠구나" 하고 중얼거립니다. 그러면서 '하얀 울타리 안의 땅이 거룩하기 때문이 아니라, 단지 하얀 울타리가 쳐졌기 때문에 울타리 안의 땅이 되었고, 그래서 거룩하게 된 것이구나' 라고 생각해 봅니다.

똑같은 광야의 메마른 땅인데 안의 땅은 거룩한 땅이 되고, 바깥 땅은 속된 땅이 된다는 것은 '상식적'으로는 말이 안되지만 '영적'으로는 말이 됩니다. 철이 자신이 거룩하거나 선해서 의롭다 칭함받은 것이 아니라, 단지 하나님이 그에게 임하셨기 때문에 의롭다 칭함받은 것을 울타리를 통해서 봅니다.

하나님은 300평을 제외한 주위의 넓은 땅을 이스라엘 백성에게 나누어 주십니다. 철이는 궁금하여 울타리 밖을 한 번 빙 돌아봅니다. 이스라엘의 열두 지파가 세 지파씩 동서남북의 네 군으로 짜임

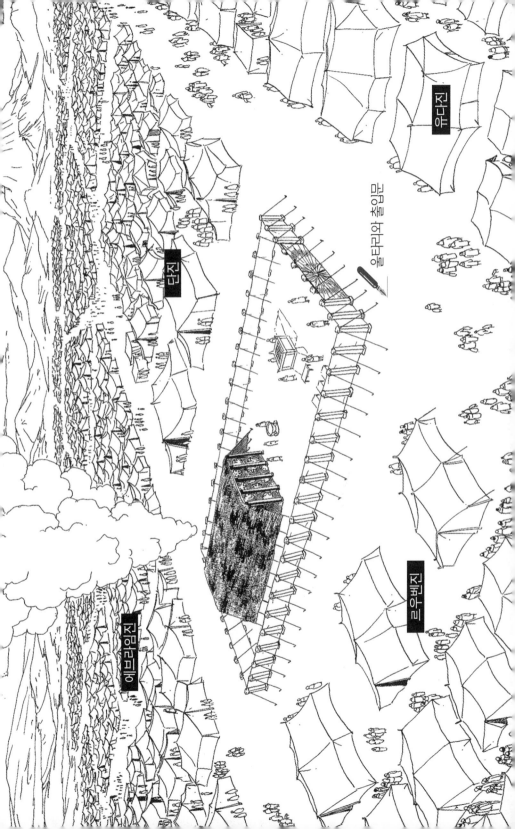

유디진

단진

올터리와 출입문

에브라임진

르우벤진

새 있게 진열해 있음을 발견합니다.

동쪽의 유다 진에는 십팔만 육천사백 명, 남쪽의 르우벤 진에는 십오만 천사백 명, 서쪽의 에브라임 진에는 십만 팔천백 명, 북쪽의 단 진에는 십오만 칠천육백 명이 있어, 모두 육십만 삼천오백오십 명의 장정과 함께 이스라엘 백성이 진을 치고 있습니다. 한 장정에 따르는 식구를 3명 꼴로만 생각하더라도 이백만 명 정도가 됩니다.

각 사람당 단지 5평만을 차지한다고 하더라도 사방 20킬로미터에 이르는 천이백만평이나 되는 넓이로 광야에 자리잡은 진들을 둘러본 철이는 지친 상태로 성막으로 돌아옵니다. 그처럼 광활한 광야 한복판에 있는 300평 되는 하나님의 집이 크기로 봐서는 진실로 보잘것없다는 것을 느낀 그는 랜캐스터에서 성막 재현 장소를 찾아 헤맸던 것을 회상합니다.[12]

활짝 열린 문

철이는 하얀 천으로 둘러쳐진 울타리를 한 바퀴 돌면서 유다 지파 군이 진을 치고 있는 성막 동쪽에 문이 있는 것을 보게 됩니다. 동쪽 문은 자그마치 9미터 폭의 넓은 문이고, 활짝 열려 있습니다. 울타리의 하얀 단색과는 달리 문의 색깔은 파란색, 자주색, 하얀색, 빨간색입니다.

하늘의 색깔인 파란색에서 하늘에서 온 자를 생각하고, 왕의 도포 색깔인 자주색에서 왕의 권위를 연상하고, 깨끗한 하얀색에서 죄와 티가 없는 것을 생각하고, 마지막으로 피의 색깔인 빨간색에서 피 흘림을 연상하게 됩니다. '하늘, 왕, 깨끗함, 피 흘림???' 여기까지 생각한 철이는 재미있는 연상을 하며 빙긋이 웃습니다.

"왕권을 가지고 하늘에서 온 자는 흠이 없고 죄 없는 자이지만, 피 흘려 죽었노라."

다름아닌 예수님의 생애를 말하는 것이 아닌가 하고 상기된 철이는 "나는 양의 문이라" 하신 예수님의 말씀을 떠올리면서 자지러집니다.

그는 "하나님께서 거하시기 위해 지으라 하신 성막은 단순한 집이 아니로군…. 성막을 지으라고 하신 데는 분명히 알리고 싶으신 하나님의 뜻이 있음에 틀림없어" 하며 성막에 몰두하게 됩니다.

네 가지 색깔

네 가지 색깔에서 예수님의 네 가지 모습을 연상해 봅니다.

"하늘의 인자로서 세상에 와서 이스라엘의 왕이 되고, 죄 없으신 분이지만 대신하여 피 흘려 희생 제물이 된다"는 아름다운 예수님의 모습이 바로 그것입니다.

철이는 자신만이 아니라, 오래 전부터 많은 믿음의 선배들도 그와 같은 연상을 했다는 것을 알고 신기해 합니다. 그의 상상은 계속해서 달려갑니다.

"복음이 하나이니 복음서도 하나면 충분할 텐데, 왜 복음서가 네 개나 되는가?" 하고 의아해 했던 초기의 믿음으로 돌아갑니다.

"마태복음은 왕으로 오신 예수님의 모습을 전한 복음이요, 마가복음은 피 흘려 희생하신 예수님의 모습을 전해 준 복음이요, 누가

복음은 죄 없으신 완전한 인간 예수님의 모습을 전해 준 복음이요, 요한복음은 하늘에서 오신 인자 예수님의 모습을 전해 준 복음"이라는 것을 알게 된 철이는 드디어 "성경이 참 재미있다"는 것을 실감합니다.[13]

하나님의 방은 여섯 평

들어오는 자를 전부 맞아 주겠다는 듯이 활짝 열려 있는 네 가지 색깔의 동쪽 출입문을 통해서 울타리 안으로 들어갑니다. 몇 개의 물품 너머에 집 한 채가 눈앞에 있는 것을 본 철이는 직감적으로 그 곳이 하나님이 거하시는 집이라는 것을 압니다. 호기심이 발동하여 하나님이 거하시는 방을 보려고 그 집을 향해 달려갑니다. 방에 발을 들여놓으려는 순간, 방 안에 있는 이가 입장권이 없다고 퇴짜를 놓습니다.

그 사람은 둔탁한 목소리로 말합니다. "출입문으로 다시 돌아가 앞에서부터 차근차근 보고 입장권을 가지고 와야만 하오." 머뭇거리는 그에게 그 사람이 한마디 덧붙여 또다시 으름장을 놓습니다. "입장권 없이 이 방에 들어오면 죽음을 면할 수 없소."

못 들어가는 것은 물론이고, 죽는다는 말에 겁을 먹은 채 되돌아 나오면서 철이는 가느다란 소리로 "하나님은 어디에 계십니까?"라고 물어 봅니다.

"이 방의 딱 절반 되는 안쪽에 있는 방, 지극히 거룩한 곳에 계시오"라는 퉁명스러운 대답을 들은 철이는 놓치지 않고 보이는 방의 크기를 헤아려 봅니다. 그리고 나서 속으로 '흠, 이 보이는 방은 가로가 9미터이고, 세로가 4.5미터이니 대충 열두 평 정도 되겠군. 그렇다면 하나님이 계시는 방은 여섯 평이지 않은가?' 하면서 깜짝 놀랍니다. '하나님의 방은 여섯 평'이라는 사실이 뇌리를 떠나지 않습니다.

천지의 소유자가 조그마한 대지 위에, 그것도 단지 여섯 평 남짓한 방에 거하시는데, 철이를 포함한 많은 인간들은 그보다 큰 방에 거하면서도 불평을 하는구나 하고 생각하니 낯이 붉어집니다. 철이는 계속해서 "하나님의 방은 여섯 평, 하나님의 방은 여섯 평, 하

✎ 성소와 지성소의 크기

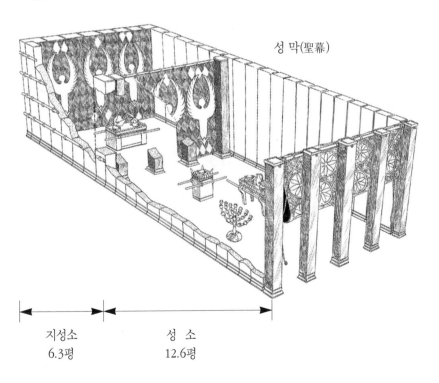

성 막(聖幕)

지성소
6.3평

성 소
12.6평

나님의 방은 여섯 평, 하나님의 방은 여섯 평" 하면서 출입문 쪽으로 돌아갑니다.

네 뿔 달린 번제단

할 수 없이 돌아서 출입문으로 온 철이는 네 가지 색깔을 보면서 거듭 아름다운 문이라고 감탄하며, 뜰 안으로 한 발자국 들어갑니다. 그의 가슴은 설레입니다. 기대에 찬 가슴을 안고 날아갈 듯한 심정으로 한 걸음씩 옮깁니다.

대략 눈 짐작으로 보아 가로 2미터, 세로 2미터, 높이 1.5미터

✎ 번제단

되는 단이 눈앞에 있습니다. 단의 사면 모퉁이에는 뿔이 하나씩 달려 있습니다. 단으로 더 가까이 가서 속을 들여다보니, 단 안에는 적쇠 같은 것이 있어 태울 수 있도록 되어 있는 것이 보입니다. 울타리 밖에서는 소, 염소, 양의 울음 소리가 들려옵니다. 철이는 이 소리를 듣자 뜰의 한 구석에 몸을 감추고 무슨 일이 벌어지는지 지켜봅니다.

양을 잡는 젊은이

한 젊은이가 깨끗한 숫양 한 마리를 문 앞으로 끌고 옵니다. 출입문에서 흠이 없다고 판명된 양을 끌고 뜰 안으로 들어오면서 "흠 없는 숫양을 여호와께 드립니다" 하고 공손히 조아립니다. 얼마간 조아린 상태에 있더니 젊은이는 단 앞으로 와서 끌고 온 숫양의 끈을 단의 뿔에 묶고, 자신의 죄가 양에게로 다 옮겨 가도록 두 손을 머리에 얹고 안수합니다.

"이 죄인의 죄를…, 이 죄인의 죄를…" 하는 가냘픈 소리를 들은 철이는 숨을 죽이고 한 순간도 놓치지 않으려고 주시합니다.

한참 후에 젊은이는 북쪽으로 약 6미터 옮겨 가더니 숫양을 자기 손으로 잡습니다. 처참한 소리와 함께 피가 낭자합니다. 서글픈 울음 소리를 내다가 점차 신음 소리만을 내며 죽어 가는 숫양의 모습을 지켜보면서 젊은이는 웁니다.

"내가 죽어야 하는데…, 내가 죽어야 하는데…" 하면서 숫양의 죽음과 함께 마치 자신이 죽어 가는 듯한 느낌을 갖습니다. 죄를 뒤집어쓰고 대신 죽어 가는 숫양이 괴로워하는 것을 보면서 진짜

죄인인 자신이 자기 손으로 양을 죽이는 것에 대해 젊은이는 몹시
도 괴로워합니다.

번제가 드려지다

젊은이가 계속 괴로워하는 가운데 여러 명의 제사장들이 피를
받아서 가져다가 단 사면에 뿌립니다. 단 사면은 순식간에 빨갛게

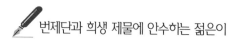

번제단과 희생 제물에 안수하는 젊은이

물듭니다. 피비린내가 나는 가운데 젊은이는 숫양의 가죽을 벗겨 옆으로 치우고, 하염없이 눈물을 흘리면서 이제 각을 뜨기 시작합니다. 각 뜨기가 끝나자, 제사장은 단에 피를 뿌립니다. 불 위에 나무를 벌여 놓은 제사장들은 각 뜬 것과 숫양의 머리와 기름 덩어리를 하나도 남김없이 불 위의 나무에 벌여 놓습니다. 그러자 타기 시작합니다.

불 위에 놓기를 마친 제사장들은 계속해서 내장과 정강이를 모아 물로 깨끗하게 씻습니다. 씻고 또 씻고 하는 동안에 단 위에서는 불살라지면서 타는 냄새가 나기 시작합니다. 철이에게는 조금은 역겨운 냄새지만, 여호와께서는 참으로 '향기로운 냄새'로 받아 주십니다.

숙연해지다

여기까지 지켜보던 철이는 참았던 숨을 내쉬면서 '피'에 대한 찬송을 흥얼거립니다.

예수 십자가에 흘린 피로써 그대는 씻기어 있는가
더러운 죄 희게 하는 능력을 그대는 참 의지하는가
예수의 보혈로 그대는 씻기어 있는가
마음속의 여러 가지 죄악이 깨끗이 씻기어 있는가.[14]

찬송을 마치면서 단 앞에 있는 젊은이가 바로 자기 자신이고, 죽어 간 숫양이 십자가에서 피 흘려 돌아가신 예수님이라고 연상해 봅니다. 이제까지 2000년 전 갈보리에서 로마 병정이 예수님을 죽였다고만 생각했는데, 그것이 아니라 자기 자신이 예수님을 죽이고 피가 낭자한 가운데 각을 뜬 것을 깨닫게 되어, "주여, 이 죄인을 용서하소서. 제 손으로 제 손으로, 주님을 죽였습니다" 하면서 눈물을 하염없이 흘립니다.

용서받다

번제의 향기가 뜰 안에 가득 채워지는 가운데 찬송이 들려 옵니다.

나 주의 도움 받고자 주 예수님께 빕니다
그 구원 허락하시사 날 받으옵소서
내 모습 이대로 주 받으옵소서
날 위해 돌아가신 주 날 받으옵소서[15]

이 찬송이 철이의 울음 소리와 뒤범벅이 된 가운데 죽어 가는 숫양의 울부짖는 소리를 헤치고 "아무것도 모르고 나를 죽이는 저들의 죄를 용서하소서"라는 십자가에 달리신 예수님의 음성이 들립니다.

"주님을 죽인 이 죄인을 용서해 주시는 주님. 주님…. 주님…. 주님을 사랑합니다".

너무 감격스러운 나머지 철이는 그만 넋을 잃고 쓰러집니다.

빛나는 얼굴

얼마나 지났을까? 철이는 조용히 일어납니다. 그의 얼굴은 이 세상 어떤 것으로도 표현할 수 없을 만큼 빛나고 있습니다. 어디에서 온 빛일까? 비교할 수는 없지만 금방 목욕하고 나오는 사람의 얼굴과 같이 빛나는 것입니다. 인간이 이 세상에서 사는 동안은 먼지 때문에 때가 생길 수밖에 없습니다. 그래서 모든 사람에게는 더러움이 있습니다. 그 더러움을 깨닫고 씻어야만 깨끗해질 수 있고, 깨끗해지면 빛이 납니다. 철이의 영혼이 이러한 목욕을 하고 나니 그 얼굴에서 비할 바 없는 빛이 나는 것입니다.

보혈의 피로 씻김을 받고 넋을 잃었던 철이의 입술이 조용히 움직입니다.

죄에서 자유를 얻게 함은 보혈의 능력 주의 보혈
시험을 이기는 승리 되니 참 놀라운 능력이로다
주의 보혈 능력 있도다 주의 피 믿으오
주의 보혈 그 어린 양의 매우 귀중한 피로다[16]

철이의 찬송 소리가 조금씩 커지더니, 뜰 안에 가득 찹니다. 그 환한 얼굴 빛 때문에 뜰 안이 환히 밝아집니다. 그처럼 밝은 빛이 충만한 가운데 "예수 결박 푸셨도다. 모든 결박 푸셨도다. 나의 결박 푸셨도다. 나는 자유해"[17]를 몇 번이고 부릅니다. 지금까지 철이는 자기가 결박에서 풀려 자유한 것을 알았고, 믿었고, 또 남들에게 간증도 했지만 냉랭한 가슴을 가진 자신의 모습을 그 순간 적나라하게 봅니다.

철이는 "주의 보혈 능력 있도다"와 "나는 자유해"의 후렴을 몇 번이고 반복하더니 이제 손뼉을 칩니다. 춤을 춥니다. 과거에는 그런 사람이 아니었습니다. 그는 지금 주위를 의식하지 않고 있습니다. 달라져도 많이 달라진 것입니다.

"나는 자유해."

"나는 자유해."

"나는 자유해."

철이는 얻은 자유를 마음껏 누리는 것입니다. 그래서 죄로부터의 자유함만이 아니라 율법으로부터, 둘러싼 환경으로부터, 자기 스스로로부터 자유함을 체험한 것입니다.

기쁨도 잠깐

얼마간 정신없이 찬양하고 춤을 추던 철이는 제정신이 듭니다. 그리고 이대로만 지낼 수 없는 자신의 처지를 직면하게 됩니다. 한 가정의 가장으로서, 남편으로서, 아버지로서, 연구원으로서, 교인으로서 해야 할 일이 너무나 많습니다. 맡겨진 것들을 해 나가면서 전보다 더 열심히 성경도 보고 뜨겁게 기도도 합니다.

그러는 가운데 가슴속 깊이 참다운 행복이 무엇인지를 알게 됩니다. 자녀들이 철없이 굴어도, 버릇 없이 말해도 그가 그들을 자녀로 생각하듯이, 비록 부족하게 지내더라도 자기를 하나님의 자녀로 삼아 주신 것을 감사하면서 평안하고 즐겁게 지냅니다. 행복한 세월에 몸을 싣고 두둥실 흘러가면서 죄의 깊은 뿌리에서 죄성이 움터 그만 실수를 범하기도 합니다. 하지만 말씀을 붙잡고 오뚝

이처럼 일어나곤 합니다. 그러나 그것도 머지않아 시들고, 죄의 뿌리에 심히 얽혀 괴로워합니다.

바야흐로 "네까짓 것이…, 네까짓 것이…" 하는 소리가 마음속에서 울려 나는 것을 듣습니다.

"아니야, 나는 자유해. 나는 자유해" 하고 소리치지만, 철이는 이전에 가졌던 기쁨과 밝음을 회복하지 못합니다. 비록 꺼져 가는 불이지만, 그의 가슴속에는 불씨가 아직 남아 있기 때문에 더욱더 괴로워합니다.

얼굴을 씻다

"네까짓 것이…"라는 속삭임과 "나는 자유해"라는 외침의 싸움을 한참이나 계속한 철이는 지칠 대로 지친 눈을 들어 도움을 갈구하면서 하나님이 계시는 여섯 평짜리 방을 바라봅니다.

그 순간 대야 모양의 이상한 물체가 눈에 들어옵니다. 그는 지쳐 힘없는 모습으로 다가갑니다. 반짝이는 놋으로 만들어진 대야의 물에 비친 자신의 얼굴 표정을 물끄러미 쳐다봅니다. 땀, 피, 먼지로 범벅이 된 자신의 모습을 본 그는 너무나 초라한 모습에 놀라고는, 밝고 환하던 얼굴 모습을 찾고 싶어서 대야의 물로 얼굴을 씻습니다. 한참 후에 물에 비친 얼굴은 이전처럼 밝고 환한 모습은 아니지만 어느 정도 회복된 모습입니다.

깨끗한 얼굴을 찾은 철이는 다시 기운이 납니다. 정신을 차리고 살펴보니 피와 먼지로 엉망진창이 된 발에서 나는 냄새가 코를 찌릅니다. 신발을 벗고 조용히 발을 씻습니다. 발이 깨끗해지는 것을 보고, 이번에는 몸 전체를 씻어야겠다는 생각을 합니다.

목욕하려 하나…

철이가 목욕을 하려는 순간, 베드로에게 하신 예수님의 말씀이
머리를 스치고 지나갑니다.

"내가 너를 씻지 아니하면 네가 나와 상관이 없느니라."

"이미 목욕한 자는 발밖에 씻을 필요가 없느니라. 온몸이 깨끗
하니라."

'그래, 나는 저 번제단에서 이미 목욕을 한 사람이야. 나는 깨끗
해진 자야. 비록 추하고 더러운 자이지만, 예수님의 보혈로 씻김을

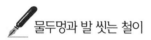 물두멍과 발 씻는 철이

받은 자야.'

'나는 깨끗해진 자야.'

'나는 깨끗해진 자야.'

'예수님이 나의 손발을 다시 씻겨 주시니, 깨끗한 자야.'

다시 깨끗해진 자신의 모습을 보고 그는 뛸 듯이 기뻐합니다. 속에서 들려 오던 정죄의 소리는 사라지고 대신 귀에 들리는 말씀이 있습니다.

"만일 우리가 우리 죄를 자백하면 저는 미쁘시고 의로우사 우리 죄를 사하시며 모든 불의에서 우리를 깨끗게 하실 것이요"(요일 1:9).

철이는 몇 번이고 "자백하면 깨끗게"라는 말씀을 반복해 봅니다. 그리고 자기에게 이미 주어진 여러 가지를 헤아려 봅니다.

세상 모든 풍파 너를 흔들어 약한 마음 낙심하게 될 때에
내려 주신 주의 복을 세어라 주의 크신 복을 네가 알리라
받은 복을 세어 보아라 크신 복을 네가 알리라
받은 복을 세어 보아라 주의 크신 복을 네가 알리라[18]

이제까지 자신이 수없이 불렀던 찬송의 의미가 새롭게만 느껴집니다.

갑자기 철이의 눈에 비치던 대야가 이상하게 느껴집니다. 그러더니 대야의 크기가 커졌다 작아졌다 합니다. 눈을 비비고 다시 봅니다. 여전히 대야는 커졌다 작아졌다 합니다. 못 믿겠다는 듯이 주위를 둘러보지만 다른 물체들은 그대로 있습니다. 오직 물 대야의 크기만 변하는 것이니, 눈에 이상이 있는 것은 아닌 것이 분명

합니다. 영적인 무엇일 것이라고 생각하는 순간, 범한 죄가 크든지 작든지 그 크기에 상관없이 다 씻어 주시겠다는 뜻으로 받아들이고 감사해 합니다.

씻어서 깨끗해지고 빛을 다시 찾은 철이는 마음속으로부터 상쾌함을 느낍니다. '인간적 차원에서는 큰 죄, 작은 죄가 있을 수 있지만, 용서하시는 하나님의 차원에서는 별문제가 되지 않을 것은 당연하지 않는가?' 하고 생각하면서 모든 지은 죄를 자백하리라 다짐합니다.

네 가지 색깔의 출입문, 피가 낭자한 번제단, 크기에 상관없는 물두멍이 꿈과 같이 펼쳐지는 것을 경험한 그는 갑자기 '꿈'이라는 단어를 성경에서 정신없이 뒤집니다.

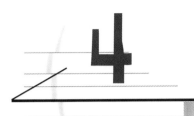

꿈 이야기

아담의 후손인 수많은 사람들이 잘못된 기차에서
태어나고 안절부절못하다가 죽습니다. 불행하게도 자신들의
의지와는 아무 상관없이 잘못된 기차를 타고 갑니다.
이제는 기차를 갈아타야 합니다.

보호하고 도와 주는 꿈

성경에서 처음 나오는 꿈 이야기는 아내를 누이라고 속인 아브라함이 위기에 처했을 때 하나님이 아비멜렉에게 나타나셔서 "사라에게 손대지 말고 아브라함에게 보내라"고 하신 꿈입니다. 나약하고 위선적인 아브라함이었지만, 하나님은 꿈을 사용하셔서라도 택한 자를 지키시고 보호하시는 것을 봅니다.

그 다음의 꿈 이야기는 야곱이 형 에서를 피하여 들판에서 돌베게를 베고 자다가 꾼 사다리 꿈입니다. 외롭고 적막할 때에 홀로 두지 않고 함께 하시겠다고 격려하심을 본 철이는 힘을 얻고 계속 성경을 넘깁니다. 인간의 논리에 맞지 않는 '얼룩 양'의 꿈을 꾸고 그 얼룩진 양을 통해 야곱이 많은 재물을 얻게 됩니다. 꿈은 현실을 초월합니다. 막힌 환경 속에서도 빛이 비추인다는 꿈입니다.

철이는 꿈이니 이상이니 하는 말이 생각보다 훨씬 많은 것에 놀라면서 계속 성경책을 넘깁니다.[19]

앞일들에 대한 꿈

야곱의 꿈 다음에 우리들이 잘 아는 요셉의 꿈이 나옵니다. 장래에 잘되리라는 꿈인 곡식 단과 별 꿈입니다. 꿈의 왕자인 요셉은 형들이 듣기 싫은 내용인 줄 알면서도 형들과 부모에게 자기의 꿈을 말한 것 때문에 죽을 고비를 당합니다. 하지만 그 꿈은 결국 사실로 이루어집니다. 꿈을 붙잡고 어려운 환경을 넘어간 요셉의 이야기가 "꿈은 환경을 초월케도 한다"는 메시지와 함께 철이의 뇌리에 인상 깊게 남습니다.

꿈쟁이 요셉은 이번에는 다른 사람의 꿈 이야기를 듣습니다. 감옥에서 만난 애굽 왕 바로의 관원장들의 꿈입니다. 술 맡은 관원장은 '세 가지에 달린 포도를 짜서 포도주를 만들어 왕께 드린' 꿈을 꾸었는데, 요셉은 사흘 안에 복직된다고 해석해 줍니다. 이를 듣고 좋게 생각한 떡 맡은 관원장은 '세 광주리에 있던 떡을 새가 먹어 버리는' 꿈을 말하는데, 요셉은 사흘 안에 그가 나무에 달려 죽게 되고 새의 밥이 될 것이라고 해석해 줍니다. 관원장들의 꿈이 요셉의 해석대로 이루어집니다. 그러나 복직된 술 맡은 관원장은 요셉을 새까맣게 잊고 몇 년을 지냅니다.

애굽 왕 바로는 일곱 암소와 일곱 이삭의 꿈을 꾸는데, 애굽 술객들이 그 꿈을 해석하지 못하자 커다란 곤경에 빠집니다. 그제야 술 맡은 관원장이 요셉을 기억합니다. 그의 천거로 요셉이 왕 앞에 나와 꿈을 해석해 주는데, 왕의 꿈 또한 해석해 준 그대로 이루어집니다. 이처럼 요셉은 꿈만 꾸는 것이 아니라 꿈을 해석해 줍니다. 그리고 꿈꾸는 것도, 꿈의 해석도 하나님에게 속한 것임을 거듭 강조합니다.

지혜를 더해 주는 꿈

기드온은 굴러가는 떡 덩어리의 꿈을 꾸는데, 이 이야기를 들은 동무는 떡을 칼로 해석하여 적군을 물리치리라고 합니다. 꿈의 해석을 들은 기드온은 불과 300명의 용사만으로 많은 미디안 적군을 물리칩니다.

철이는 여기에서 싸움의 승패가 군인의 많고 적음에 있지 않고 지혜에 있음을 엿봅니다. 계속해서 "구하는 것은 무엇이나 들어주겠다"는 하나님께 지혜를 구한 솔로몬의 꿈을 찾습니다. 그리고 자신을 위한 것이 아니라 다른 사람들을 위하여 구하는 솔로몬의 멋진 모습을 보면서 '남을 위한 꿈을 꾸어 보았으면' 하고 생각합니다.

또한 욥은 새벽까지 이리 뒤척 저리 뒤척 하며 "구더기와 흙 조각이 의복처럼 입힌" 자신의 모습이 나타나는 악몽을 꿈니다.[20] 바벨론 왕 느부갓네살은 연거푸 같은 종류의 꿈을 꾸고 그 뜻이 무엇인지 궁금해서 어찌할 바를 몰라하며 온 나라를 떠들썩하게 합니다. 이때 다니엘이 왕의 꿈을 알아맞추고 또 해석해 줍니다.

꿈을 찾아가다가 지친 철이는 어느새 잠이 듭니다.

기차 꿈

대전에 사는 한 젊은이가 철이의 꿈에 나타납니다. 젊은이는 결혼을 하러 서울로 가는 기차에 올라탑니다. 젊은이는 옆 사람들과 재미있게 이야기도 하고 노인들을 도와 주면서 즐겁게 여행을 합니다. 게다가 며칠 후에 있을 결혼식이 젊은이의 가슴을 부풀게 합니다.

그런데 한참 가다가 기차가 추풍령 가까이에 있는 영동역과 김천역을 지나 목적지와는 정반대 방향인 대구역을 향하는 것을 보고 젊은이는 깜짝 놀랍니다. 분명히 서울행 기차를 탔다고 생각했는데, 서울행이 아니라 부산행 기차를 탄 것입니다.

철이는 안타까워하는 젊은이를 보고, 서울로 가는 기차로 바꿔 타기 위해서는 젊은이에게 세 가지가 필요하다고 말해 줍니다.

"첫째, 기차를 잘못 탄 사실을 알아야 하고, 둘째, 잘못된 사실을 알았으니 갈아타고자 하는 의지가 있어야 하고, 셋째, 실제로 갈아타는 행동이 필요하답니다. 아무리 서울로 가고 싶은 강한 의지가 있어 기차를 탔더라도 부산행에 몸을 싣고 있는 한, 자신이 원하는 방향과는 정반대로 가지 않겠습니까?"

잘못된 것을 안 젊은이는 기차에서 내려 자기의 목적지인 서울행 기차로 갈아타려고 합니다. 그런데 서울행 기차를 못 찾아 안절부절못하는 젊은이 때문에 철이는 자면서 엎치락뒤치락합니다.

아담의 기차

오락가락하던 철이의 꿈은 장면이 바뀌어 아담에게로 갑니다. 꿈속의 아담도 잘못된 기차를 타고 있습니다. 그래서 아담의 후손인 수많은 사람들이 잘못된 기차에서 태어나고 안절부절못하다가 죽습니다. 아담이 기차를 잘못 탔기 때문에 수많은 인간들은 불행하게도 자신들의 의지와는 아무 상관없이 잘못된 기차를 타고 갑니다.

모든 인간들은 태어나면서부터 타고 있는 기차 이외에는 다른 방향의 기차가 있는 것도 모르는 채 아담의 기차 안에서 부단히 노력하며 살아갑니다. 좋은 일도 하고 싸우기도 하고, 웃기도 하고 울기도 하면서 기차 속의 사람들은 늙어 가고 있습니다.

천차만별한 인생의 모습을 실은 기차는 빠른 속도로 어디론가

가고 있습니다. 그런데 기차 밖에서 어떤 사람이 무엇인가를 가리키면서 다른 기차로 바꾸어 타야만 한다고 외치고 있습니다. 기차 안의 사람들은 외치는 사람을 힐끔 보고는 별 관심 없이 그냥 하던 일을 계속합니다. 어떤 사람은 외치는 소리에 귀기울이고 유심히 창밖을 내다봅니다. 그러다가 드디어 기차를 잘못 탔다는 것을 깨닫고, 곧 다른 기차로 갈아탑니다. 그 많은 사람 중에 한 젊은이도 외치는 소리에 귀를 기울이게 됩니다.

다시 젊은이가 나오는 꿈으로

이 젊은이도 잘못된 기차를 타고 있다는 것을 알아차리고는 갈아타고자 마음먹고, 다른 기차에 가서 얼마간의 돈을 내밉니다. 승무원은 말없이 고개를 가로 젓습니다. 젊은이는 있는 돈을 다 내놓습니다. 그래도 태워 주지 않아 젊은이는 안타까워합니다.

"이 돈이 제가 가지고 있는 전부입니다. 제발 좀 태워 주십시오. 부족한 차삯은 제 생명을 걸고 나중에 꼭 갚겠습니다."

그러나 승무원은 들은 척도 안 합니다. 그리고 가격표를 손가락으로 가리킵니다.

"차삯은 한 명의 생명."

그는 이제야 왜 탈 수 없는지를 알게 되고, 더 이상 돈으로 지불하고자 하는 노력을 포기합니다.

"저는 도저히 그만한 차삯을 낼 수가 없습니다. 그렇지만 결혼식에 가야 합니다. 타기를 진실로 원합니다."

젊은이는 승무원에게 자초지종을 이야기합니다. 딱한 사정을 들은 승무원이 대신 지불해 주겠다면서 젊은이를 태워 줍니다.

젊은이는 "감사합니다. 감사합니다"를 몇 번이나 반복하고 기차 안으로 들어가 자리에 앉습니다. 얼마 후에 차삯을 대신 지불해 준 승무원이 열심히 일하고 있는 것을 발견합니다. 젊은이는 아무 관계도 없는 승무원이 자기를 위해서 열심히 일하는 것에 감격하고 감사해서 자신도 열심히 일합니다. 차삯을 지불하기 위함이 아니라, 감사의 표시로 젊은이는 좋은 일을 열심히 합니다.

분명한 것

젊은이가 부산행 기차에 있을 때 이런저런 좋은 일을 많이 했다 하더라도, 부산행을 타고 있는 한 어쩔 수 없이 부산으로 갈 수밖에 없습니다. 그와는 대조적으로, 그가 서울행으로 갈아탄 후에는 혹 피곤에 지쳐서 좋은 일을 전혀 할 수 없다 하더라도, 서울행 기차를 탔기 때문에 목적지인 서울에 도착함에는 틀림이 없습니다.

젊은이는 '어떤 기차에 탔는가가 중요하다'는 생각을 하면서 값을 대신 치러 준 승무원에 대해 진정으로 고마움을 느낍니다. 때문에 아무리 피곤하더라도 결코 빈둥거리며 앉아서만 갈 수는 없습니다.

다행히도 목적지인 서울에 가는 기차로 갈아타게 되었고, 승무원에게 감사하는 마음으로 열심히 선을 행했지만, 젊은이는 옛 모습과 다른 것이 전혀 없습니다. 변하지 않은 자신의 모습을 본 젊은이는 얼굴이 빨개집니다. 그러나 그에게는 분명히 목적지로 간다는 확신이 생겼습니다. 부족하고 약한 자신이지만, 자기가 타고 있는 기차가 틀림없이 목적지로 데려다 줄 것을 생각하면서 젊은 이는 마음 깊이 기뻐합니다. 어느 누가 뭐라 해도, 또 어떤 처지에 놓이더라도 목적지에 가서 결혼 상대자를 만날 것이 틀림없기에 희망에 찬 시간을 보냅니다.

멋있는 하나님

한 수 높은 사다리를 오르게 되고, 또 기차의 꿈을 꾼 철이는 이제 어떤 자가 그리스도인이고, 어떻게 생활하는 것이 그리스도인의 삶인가를 분명히 압니다. 철이의 소리를 한 번 들어봅니다.

— '양의 문'인 예수님이라는 아름다운 문으로 들어와야만 합니다.

— 들어와서는 자신이 예수님을 죽인 죄인임을 깨닫고 보혈의 피로 씻김을 받아 깨끗하게 되어야 하고, 참 기쁨이 무엇인지를 체험해야 합니다. 그때에야 비로소 그리스도인이 됩니다.

— 그때 통회의 눈물이 변하여 기쁨이 되는 체험을 하지만, 쓰러질 수밖에 없는 연약한 자신의 모습을 잊지 않고 말씀을 따라 살려고 노력해야 합니다.

— 그러나 넘어져 괴로울 때에 사탄의 참소에 귀기울이는 대신에 '자백의 씻음'을 기다리시는 주님 앞에 손발을 내놓아 씻김을 받아 기쁨을 소생시켜야 합니다.

— 얻으려고 선을 행하는 것이 아니라, 도저히 얻을 수 없는 것을 얻었기에 감사함으로 선행을 합니다.

여기까지 생각하던 철이는 문득 출애굽 하던 이스라엘 백성의 모습과 유사한 점을 보고 빙긋이 웃습니다.

출애굽 하기 직전, 이스라엘 백성이 죽음을 면하기 위해서는 어린 양이 죽음을 당해야 했고, 문에는 그 양의 피가 발라져야 했습니다. 결국 피가 발라진 집의 백성들만 살아나서 출애굽 했고, 그들의 기쁨은 무어라 형언할 수 없었을 것이라는 점을 철이로서는 쉽게 짐작합니다.

그런데 애굽 왕 바로가 출애굽 한 이스라엘 백성을 추적해 옵니다. 앞은 홍해가 막고, 뒤에는 바로가 추적해 올 때 모세는 손 들고 하나님만을 바라봅니다. 손을 들고 하나님을 바라보는 그 곳에 하나님의 역사가 있어 홍해가 갈라졌습니다.

이러한 일련의 출애굽 사건들이 철이의 삶 속으로 들어옵니다. 우선 예수님이 죽임을 당하시고 단에 발린 그 예수님의 보혈로 인해 생명을 얻고 구원의 기쁨을 누립니다. 그러나 사탄이 끈질기게 추적해 오고, 지은 죄가 가로막아 앞으로 전진하지 못하는 처지 때문에 어찌 할 바를 모르다가, 손 들고 주님을 바라보면서 자백하여 기쁨을 회복합니다. 홍해를 건넌 자들이 여호와께 찬양을 했듯이, 철이도 멋있는 하나님을 찬양합니다.

구주의 십자가 보혈로 죄 씻음 받기를 원하네
내 죄를 씻으신 주 이름 찬송합시다
찬송합시다 찬송합시다
내 죄를 씻으신 주 이름 찬송합시다
주 앞에 흐르는 생명수 날 씻어 정하게 하시네
내 기쁜 정성을 다하여 찬송합시다

찬송합시다 찬송합시다
내 죄를 씻으신 주 이름 찬송합시다[21]

5

바쁘게 움직이는 안뜰

하나님의 비밀은 감추어지지 않고
성경에 이미 알려져 있습니다. 그러나 그것은 영안이 뜨인
사람만이 알 수 있는 비밀이며, 하나의 비밀을 알게 되면
또 다른 하나님의 비밀들이 눈에 비칩니다.

비밀의 두 가지

컴퓨터를 사용하기 위해 철이 혼자만 아는 비밀 번호가 있습니다. 그 번호를 누구에게도 가르쳐 주지 않습니다. 그리고 가족만이 아는 은행 구좌 비밀 번호가 있습니다. 결코 가족 외의 다른 사람들에게 가르쳐 주지 않습니다.

그런데 자기들만 이런 비밀을 아는 것으로 생각하지만, 사실상 그 업무에 관련된 사람들도 그 번호를 알고 있습니다. 되도록 감추려고 하지만 알려질 수 있기 때문에 그 비밀 번호를 수시로 바꿉니다. 그러다가 바꾼 비밀 번호를 잊어버려 고생하기도 합니다. 바꾸고 나면 이전의 비밀 번호는 아무것도 아닙니다. 이런 종류의 비밀 번호란 그저 남이 모르기 때문에 비밀이고, 한정된 사람만이 아는 비밀일 뿐입니다.

그런데 그와는 전혀 다른 또 하나의 비밀이 있습니다. 이 비밀은 철이 말고도 많은 사람들이 아는 비밀입니다. 그 비밀은 누구에게나 알도록 공표된 것인데, 많은 사람이 모르는 비밀입니다. 철이는 이 비밀을 알고 나서 혼자만 간직하지 않고 되도록 나누고 싶어합니다. 그런데, 신비한 것인 줄을 모르기 때문에 이 비밀을 알고자 하는 사람들이 많지가 않습니다. 여하튼 감추려고 하는데 알려지는 비밀과는 대조적으로 알려 주는데도 알려지지 않은 채로 남아 있는 비밀이 있습니다.

영어에는 비밀이란 뜻의 단어가 두 가지 있습니다. 하나는 감추려고 하나 알려지기 쉬운 시크릿(secret)이고, 다른 하나는 알리고 싶어하나 알려지지 않는 미스터리(mystery)입니다. 은행 구좌의 비밀 번호를 영어로 시크릿 코드(secret code)라고 하듯이, 인간이 조작해서 만든 비밀은 시크릿이라는 비밀에 불과합니다. 그것은 단지 알려지지 않은 상태일 뿐이고, 알려지면 더 이상 비밀이 아닙니다. 탐정 소설에 나오는 '미스터리' 라는 말은 잘못 붙여진 것이고 그것도 단지 수준 높은 시크릿일 따름입니다.

하나님의 비밀은 진정한 미스터리의 비밀입니다. 그런데 미스터리인 하나님의 비밀은 감추어지지 않고 성경에 이미 알려져 있습니다. 알아야 한다고 그렇게 외치지만, 단지 영안이 뜨인 사람만이 알 수 있는 비밀이며, 하나의 비밀을 알게 되면 또 다른 하나님의 비밀들이 눈에 비칩니다. 철이는 성막을 통해 새로운 하나님의 비밀들을 많이 발견하고, 또 그 비밀을 어떻게 나누어야 하는가를 알게 되어 신이 납니다.

우중충한 지붕

번제단에서 목욕하고, 놋대야에서 손발을 씻은 철이는 열심히 뜰 안을 돌아봅니다. 뜰 안에는 참으로 해야 할 일도 많고, 도움이 필요한 곳도 많음을 봅니다. 번제단에서 쓰는 재 담는 통, 부삽, 대야, 고기 갈고리, 불 옮기는 그릇 등의 기구들도 정리하고, 더러워진 놋대야도 깨끗이 닦고, 성막의 지붕으로 쓰이는 텐트를 묶는 끈도 다시 꼭 잡아 매고 참으로 열심히 합니다. 그의 손놀림과 발놀림은 가볍고, 입과 코에서는 찬송이 끊이지 않습니다.

그러한 철이에게 추한 성막의 지붕이 눈에 보입니다. 우중충하고 둔탁한 해달 가죽(혹은 물개 가죽)으로 만들어진 것입니다. 산뜻한 색깔로 바꾸면 참 좋겠다고 생각해 봅니다. 그러나 철이의 생각과는 달리 지붕의 모양과 재료는 하나님께서 직접 택하신 것입니다. 지붕을 보기 좋게 만드는 것보다 방수가 잘 되어 잘 보존되도록 하나님께서 그렇게 하신 것입니다.

"해달의 가죽으로 그 웃덮개를 만들지니라."

어떤 것은 철이가 보기에 아주 싫습니다. 그러나 하나님의 생각과 인간의 생각은 너무나도 다른 것입니다.

"어떤 길은 사람의 보기에 바르나 필경은 사망의 길이니라."

지붕의 색깔을 바꾸면 좋겠다고 생각했었지만, 이 말씀을 보면서 실제로 바꾸지 않았고 또 요란을 떨지 않은 것을 감사해 합니다.

딜레마에 빠지다

정신없이 일만 하던 손을 멈추고 철이는 이제 자신의 경험을 나누고 또 뜰에 있는 사람들의 조언과 신나는 경험을 들으려고 접근합니다. 하지만 경험의 풍요로움은 고사하고 목욕이 무엇인지, 손발 씻는 것이 무엇인지도 모르는 사람들이 뜰 안에 많이 있다는 사실에 놀랍니다.

그 후 철이는 꾸준히 자신의 경험을 나누면서 뜰 안을 계속 돌아다닙니다. 그러한 그를 격려하는 사람도 있지만, "잘난 체 그만 하라"고 노골적으로 충고하는 사람들이 더 많아 울고 싶습니다. 자신이 한 것은 아무것도 없다는 것을 잘 알기에 자랑 삼아 경험을 나누는 것이 아닌데, 사람들의 반감은 점점 더 거칠어만 갑니다. 뜨거운 가슴을 나누지 않고는 견딜 수 없는 마음과 그런 자기를 싫어하기 시작하는 뜰 안 사람들과의 사이에서 철이는 딜레마에 빠집니다.

생각에 잠기다

상식적으로 생각해도 철이가 잘못한 것은 없습니다. 그런데 그는 딜레마 속에서 갈등을 겪어야만 하고, 그 갈등은 서서히 그를 죽여 갑니다. 생각을 더 많이 합니다. 그런데 생각하면 할수록 골치만 더 아픕니다. 마침내 생각하는 것을 그치고 주님께 도와 달라고 기도합니다.

"주님, 저를 좀 도와 주십시오."

"주님, 제가 괴로워 죽겠나이다."

한없이 부르짖는 그에게 평안함이 찾아옵니다. 어느새 마음이 옛날 학창 시절로 돌아갑니다. 그리고 옳아 보이는 상식적인 것이 때로는 진리와는 맞지 않는 경우가 있음을 기억하게 됩니다.

상식이 틀리는 경우

헤라클레스와 같은 대단한 존재가 있어 지구의 적도를 따라 밧줄로 지구를 꽉 맨다고 가정해 봅시다. 그리고 그 긴 밧줄의 길이에다가 단지 1미터 더한 후에 다시 적도를 따라 일정하게 매면 밧줄은 지면(수면)으로부터 약간은 떨어질 것입니다. 철이는 '지구를 맨 밧줄의 간격으로 개미 새끼 정도가 지나갈 것 같군' 하고 생각해 봅니다.

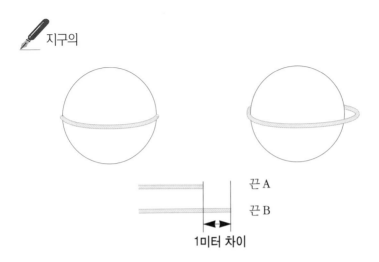

끈 A

끈 B

1미터 차이

　똑같은 방법으로 야구공 중앙을 실로 꽉 맨 후 그 실끈의 길이에다가 1미터 더하여 야구공 주위를 맨다면, 역시 약간의 간격이 생길 것입니다. 이번에 그는 '야구공 주위의 간격으로 주먹 정도는 지나갈 것 같군' 하고 생각해 봅니다.

야구공

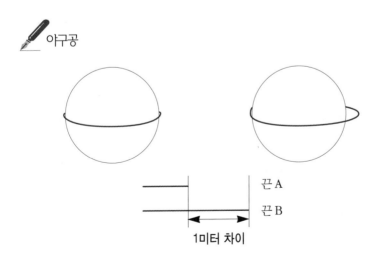

끈 A

끈 B

1미터 차이

그런데 정답은 두 경우의 간격이 모두 같다는 것입니다. 그리고 주먹 하나 정도가 지나간다는 것입니다. 철이는 '말도 안된다' 고 펄쩍 뛰지만, 수학적으로 똑같다고 증명되는 것을 봅니다. 그래도 그는 미덥지 않아서 실제로 실험해 봅니다. 결국 그는 '똑같을 수밖에 없군' 하며 수긍하고 맙니다.

그때부터 "상식적인 생각이 때로는 잘못될 수도 있다"는 것을 알게 됩니다. 계속해서 그의 생각은 청년 시절로 달려갑니다.

말도 안되는 소리

철이는 매우 논리적입니다. 그래서 "어떤 사실이 맞는 것이라면 그것이 동시에 틀릴 수 없고, 틀린 것이라면 또한 동시에 맞을 수 없다"는 것을 잘 압니다.

정신이 바르다면 닫힌 솥뚜껑을 열려 있다고 말할 수 없고, 열려 있는 솥뚜껑을 닫혔다고 말하지 않을 것입니다. 동그라미의 선을 떨어지지 않게 그리면 그 동그라미는 닫혀 있다고 말하고, 점선으로 동그라미를 그리면 그 동그라미는 열려 있다고 말합니다.

어느 날 "하나의 점은 열린 것이냐 닫힌 것이냐?"라는 질문에 접합니다. 철이는 대답을 못했습니다. 결론을 말하자면 수학적으로 '닫혀 있다' 고 말해도 맞고, '열려 있다' 고 말해도 된다는 것입니다. 똑같은 수학적인 논리로 '전 우주 공간' 은 '닫혀 있다' 고 말해도 맞고, '열려 있다' 고 말해도 된다는 것입니다. 말도 안되는 소리가 말이 되는 경우였습니다.

닫힌 동그라미와 열린 동그라미

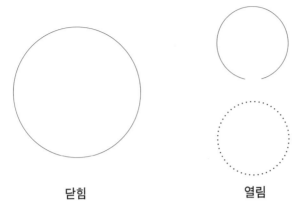

닫힘   **열림**

"닫히고도 동시에 열린 점."

"열리고도 동시에 닫힌 우주."

상식을 벗어난 사실이 얼마든지 있다는 사실은 철이의 사고 세계를 넓혀 줍니다.[22]

필요한 것

진리는 다수결에 의해 결정되는 것이 아닙니다. 그러나 현실은 그렇지가 않은 것 같습니다. 거의 모든 사람들이 지구를 맨 간격과 야구공을 맨 간격은 다르다고 느꼈고, 철이도 같을 수 없다고 우겼습니다. 그렇지만 같다는 것을 알게 된 것은 누군가가 증명해 보였기 때문이었습니다. 설령 대부분의 사람들이 틀린 것이라고 말하더라도 맞는 것이라면 그들에게 설명해 줄 필요가 있습니다. 그래야 진리가 진리의 자리를 찾게 됩니다.

믿음 안에서 목욕과 손발 씻는 것이 다르다는 것을 철이는 잘 압니다. 게다가 경험으로 아는 것과 그냥 느낌으로 아는 것이 다르다는 것도 압니다. 그러나 그것을 증명해 보일 정도의 준비가 안된 자신을 봅니다. 문제는 반박하고 헐뜯던 다른 사람들이 아니라 준비되어 있지 못한 자기 자신임을 알고 무릎을 탁 칩니다.

문제를 해결하기 위해 몇 번이고 다시 번제단으로, 놋대야로 발을 옮기면서 다른 사람들에게 반감을 주지 않을 지혜를 달라고 기도합니다. 아무 답이 없습니다. 침착하게 계속 기도합니다. 마침내 응답을 받습니다. 철이는 자신이 성막으로 들어온 목적을 잃고 방황한 것이 문제의 원인이라는 것을 깨닫습니다. 하나님의 방으로 가는 도중에 너무나 오랫동안 뜰에만 머물고 있었던 것입니다. 부랴부랴 하나님의 집이 있는 성소를 향하여 발걸음을 재촉합니다.

다시 퇴짜맞다

발을 성소 쪽으로 옮김과 동시에 입장권을 갖지 못한 것을 깨닫습니다.

"입장권을 어디서 받지?"

아무리 둘러보아도 입장권을 팔 만한 곳이 눈에 띄지 않습니다.

"입장권 없이는 들어갈 수 없다고 했는데…."

다급했지만 그런 대로 평정을 찾고 철이는 "그래도 목욕도 했고, 세수도 했고, 또 주님 안에서 착한 일도 했으니 받아 주시겠지" 하고 담대히 앞으로 갑니다. 그러나 결과는 퇴짜였습니다.

오뚝이와 같은 인생을 살아온 그는 좌절하지 않고, 이리저리 안뜰을 돌아다니면서 들어갈 구멍을 찾아봅니다. 성막의 지붕을 덮는 해달 가죽이 땅에서 약간 떨어져 줄에 매달린 것을 보고 어린 시절로 돌아갑니다. 서커스단이 공연을 할 때에 친구들과 천막을 뚫고 기어서 들어간 개구쟁이의 모습을 떠올려 봅니다.

철이는 성막 안으로 들어가고 싶은 욕심에 해달 가죽 천막을 들춰 봅니다. 까만 숫양 가죽이 해달 가죽 아래에 있습니다. 또 그 아래에는 빨갛게 물들인 염소 털로 된 천이 쳐져 있습니다. 그러나, 실망치 않고 또 그 천을 들추고 들어갑니다. 이번에는 몇 가지 색의 천이 쳐져 있습니다. 끝장을 보고 말겠다는 각오로 네 번째의 천을 뚫고 들어가 드디어 벽면까지 이릅니다. 벽면이 금빛임에 우선 놀랍니다. 두드려 보니 분명히 속에 나무가 있는 것이 틀림없습니다.

그렇다면 어디엔가 창문이나 틈이 있으리라 생각하고 용기를 얻은 그는 혹시나 하고 벽면을 따라 빙글빙글 돌아봅니다. 그러나 어느 한 구석도 틈이 없고 또 창문도 없는 딱딱한 벽만 있습니다. 최선을 다했으나, 다른 도리가 없는 것을 알고 난 그는 그만 안뜰에 털썩 주저앉고 맙니다.

성소 입구의 휘장

입장권도 못 구하고 다른 방법도 못 찾고, 그렇다고 입장권 없이 들어갈 수도 없게 되자, 할 수 없이 그는 다시 주님께 기도합니다.

"주님, 입장권을 보내 주십시오."

"주님, 입장권을 보내 주십시오."

바로 그때 낯익은 네 가지 색깔의 휘장이 성소를 향해 가는 철이의 눈에 들어옵니다. 힘껏 뚫고 들어가서 보았던 맨 안쪽 천막의 색깔이었고 또 출입문에서 보았던 바로 그 네 가지 색깔입니다. 이상하다 싶어 출입문 쪽을 돌아봅니다. 여전히 네 가지 색깔의 출입문은 그대로 그 자리에 있습니다. 비로소 철이는 출입문 앞에 있는 것과 성소로 들어가는 입구의 휘장이 똑같은 색깔로 된 것을 알게 됩니다.

네 가지의 색이 바로 예수님을 상징한다는 것을 되새기면서 감회가 새롭고 기도가 바뀝니다. 그리고 예수님이 목욕도 시켜 주셨고, 손발도 씻겨 주셨고, 게다가 차표 없이 기차도 바꿔 타게 하셨다는 것을 생각해 냅니다. 또한 변화된 자신이지만 변한 상태로 뻐기는 심정을 소유하거나 또는 스스로 해보려고 하는 한 성막 안으로 들어갈 수 없음을 깨닫습니다. 그래서 철이는 스스로 노력하여 무엇인가를 해보겠다는 생각을 버리고, 또 입장권을 구입하려는

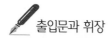 출입문과 휘장

것도 포기합니다.

"예수님만 믿고 가오니 받아 주십시오."

오직 믿음으로 기도하며 앞으로 갑니다. 무엇인가를 해서 성소에 들어가는 것이 아니라 목욕시켜 주시고, 손발 씻겨 주신 예수님, 오직 그분 때문에 성소에 들어갈 수 있는 것이기에 두 손 들고 주님만 믿고 갑니다. 비로소 철이는 성소에 들어가도록 허락을 받습니다.

✒ 4가지 색의 출입문

6

성소의 비밀

칠흑과 같이 어두운 성소의 방에
등대의 빛이 있어야 하듯이 어둠의 세상에
빛이 필요했기에 예수님이 오셨습니다.

성소에 들어가다

뜰에 들어올 때도 네 가지 색을 통해서 왔고, 지금도 네 가지 색깔을 통해서 성소 안으로 들어오게 된 것입니다. 비로소 휘장에 걸린 네 가지 색이 '오직 예수'라는 의미인 것을 진정으로 알게 됩니다.

성소에 들어온 그를 반기는 것은 칠흑 같은 어두움입니다. 마치 어린아이가 어두운 영화관에 들어가다가 넘어지듯이, 그는 너무나 놀라 넘어집니다. 철이에게는 전혀 익숙하지 않은 어두움입니다. 눈동자가 조절된 후 다시 일어난 그에게 성소 안의 물체가 하나씩 들어오기 시작합니다. 제일 먼저 눈에 띄는 것은 불빛을 발하는 일곱 금등대입니다.

 성소 안

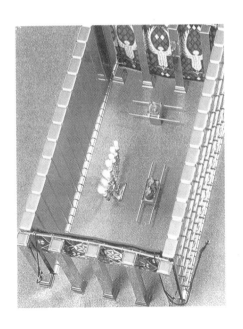

34kg의 순금 등대

철이의 눈이 휘둥그래집니다. 조금 전의 어두움과는 달리 빛이 찬란하고, 등대의 금이 너무나 아름답게 느껴집니다. 성소에서 섬기는 일을 하던 제사장이 등대를 유심히 보고 있는 철이에게 "그것은 한 달란트의 순금으로 만들어진 것입니다"라고 설명해 줍니다.

무슨 말인지 못 알아듣는 철이의 모습을 보고 제사장은 덧붙여 "한 달란트, 즉 약 34kg의 순수한 금을 정교하게 쳐서 만든 등대이니, 만지지 말고 조심하시오"라고 합니다. 그러자 철이는 제사장에게 더 자세한 설명을 부탁합니다.

그의 호기심이 끝없을 것을 알아챈 제사장은 두루마리 책 한 권을 꺼내더니 철이에게 읽어 줍니다.

"그가 또 정금으로 등대를 만들되 그것을 쳐서 만들었으니 그 밑판과 줄기와 잔과 꽃받침과 꽃이 그것과 한 덩이로 되었고 여섯 가지가 그 곁에서 나왔으니 곧 등대의 세 가지는 저편으로 나왔고 등대의 세 가지는 이편으로 나왔으며 이편 가지에 살구꽃 형상의 잔 셋과 꽃받침과 꽃이 있고 저편 가지에 살구꽃 형상의 잔 셋과 꽃받침과 꽃이 있어 등대에서 나온 여섯 가지가 그러하며 등대 줄기에는 살구꽃 형상의 잔 넷과 꽃받침과 꽃이 있고 등대에서 나온 여섯 가지를 위하여는 꽃받침이 있게 하였으되 두 가지 아래 한 꽃받침이 있어 줄기와 연하였고 또 두 가지 아래 한 꽃받침이 있어 줄기와 연하였고 또 두 가지 아래 한 꽃받침이 있어 줄기와 연하게 하였으니 이 꽃받침과 가지들을 줄기와 연하여 전부를 정금으로 쳐서 만들었으며 등잔 일곱과 그 불집게와 불똥 그릇을 정금으로 만들었으니 등대와 그 모든 기구는 정금 한 달란트로 만들었더라."[23]

금등대

-Art Kim-

철이는 줄기 하나와 여섯 개의 가지가 왼쪽과 오른쪽에 균형 있게 나열되어 있는 등대를 보면서, '줄기와 여섯 개의 가지 꼭대기에 하나씩 붙은 등잔이 참으로 아름답게 장식되어 있구나' 라고 생각합니다. 계속해서 살구꽃 모양의 잔을 하나씩 세어 봅니다.

"가운데 줄기에 4개, 옆의 각 가지마다 3개씩이고, 왼쪽에 세 가지, 오른쪽에 세 가지가 있으니, 3곱하기 6은 18, 모두 22개의 잔이군."

22개의 잔, 22개의 꽃받침, 22개의 꽃이 질서 정연하게 배열되어 있습니다. 철이는 줄기, 가지, 잔, 꽃, 꽃받침 모든 것이 연결되어 조화를 이루고 있는 모습 속에서 하나가 되는 아름다움을 봅니다.

어둠에 빛이 비취되

어두운 성소의 벽에 등대의 불이 찬란히 비칩니다. 황금으로 된 벽은 등대의 빛을 받아 황금빛을 눈부시게 반사합니다. 눈이 따가울 정도의 빛을 피하여 바닥을 본 철이는 등대의 짙은 그림자를 봅니다. 그림자와 찬란한 빛은 참으로 대조적입니다. 이 성소 안은 어두움 그 자체입니다. 그러나 그 곳에 등대가 빛을 발합니다.

어둠과 빛이 어울리는 조화 속에서 사도 요한의 소리를 듣습니다.

"빛이 어두움에 비취되 어두움이 깨닫지 못하더라 하나님께로서 보내심을 받은 사람이 났으니 이름은 요한이라 저가 증거하러 왔으니 곧 빛에 대하여 증거하고 모든 사람으로 자기를 인하여 믿게 하려 함이라 그는 이 빛이 아니요 이 빛에 대하여 증거하러 온 자라 참빛 곧 세상에 와서 각 사람에게 비취는 빛이 있었나니 그가 세상에 계셨으며 세상은 그로 말미암아 지은 바 되었으되 세상이 그를 알지 못하였고 자기 땅에 오매 자기 백성이 영접지 아니하였으나."[24]

칠흑과 같이 어두운 성소의 방에 등대의 빛이 있어야 하듯이 어둠의 세상에 빛이 필요했기에 예수님이 오셨는데, 어둠의 세상이 빛인 예수님을 받아들이지 않았다고 말한 사도 요한을 돌아봅니다. 그리고는 자기가 어둠 속에 있다는 사실조차 몰랐던 철이 자신의 과거의 모습을 되새겨 봅니다. 그러나 지금은 예수님의 빛을 본 것입니다. 예수님께 감사해 합니다.

"나는 세상의 빛이니 나를 따르는 자는 어두움에 다니지 아니하고 생명의 빛을 얻으리라"[25] 하시는 예수님의 음성이 들려옵니다.

철이도 이제는 누가 뭐라 해도 생명의 빛을 얻은 자입니다. 단지 빛만 얻은 자가 아니라 "너희는 세상의 빛이라 산 위에 있는 동네가 숨기우지 못할 것이요"[26]라는 말씀처럼 자신이 세상의 빛이 되어야 한다는 예수님의 음성을 듣습니다.

항상 타는 금등대

철이가 등대의 이모저모를 유심히 관찰하고 있는 동안, 제사장이 등대로 다가와 금 불집게들과 금 불똥 그릇을 등대 옆에 가지런히 정돈합니다. 그리고는 등잔불을 살펴보고, 기름을 붓고, 등잔의 심지를 이리저리 정리합니다. 그대로 넘어갈 리 없는 철이가 제사장에게 "뭐 하세요?"라고 묻습니다.

제사장은 다시 두루마리를 열더니 다음과 같이 읽습니다.

"이스라엘 자손에게 명하여 감람을 찧어 낸 순결한 기름을 켜기 위하여 네게로 가져오게 하고 끊이지 말고 등잔불을 켤지며 아론은 회막 안 증거궤 장 밖에서 저녁부터 아침까지 여호와 앞에 항상 등잔불을 정리할지니 너희 대대로 지킬 영원한 규례라 그가 여호와 앞에서 순결한 등대 위의 등잔들을 끊이지 않고 정리할지니라."[27]

철이는 방금 제사장이 읽은 말을 상기하면서 다시 한 번 입으로 중얼거려 봅니다.

"기름은 방금 찧어 낸 순결한 감람유로 하라."

"등잔불이 끊이지 않도록 하라."

"등잔불을 항상 정리하라."

"등대는 순결하다."

"등잔들을 끊이지 않고 정리하라."

분명히 등잔이 끊이지 않도록 하라고 강조하고 있습니다. 등잔이 꺼지면 이 성소는 암흑 그 자체가 될 수밖에 없으니, 하나님의 그 명령은 참으로 당연한 것이라고 생각합니다. 그리고 어두움 때문에 들어오다가 넘어졌던 그는 고개를 끄덕입니다.

순결한 감람유

"감람을 찧어 낸 순결한 기름"이라는 말에 호기심을 일으킨 철이는 제사장에게 물어 봅니다.

"등대에 쓰이는 기름이 순결한 감람유이어야 한다는데, 도대체 순결하다는 것은 무슨 의미입니까?"

제사장은 순결의 의미를 다음과 같이 말하여 줍니다.

"순결이라는 말은 깨끗한 것, 청결한 것, 정결한 것, 성결한 것을 의미하는 것으로, 방금 찧어 낸 것이 가장 순결한 것이오. 오래된 기름에서는 그을음이 많이 나기 때문에 순결치 못하다오."

순결한 감람유를 사용한 등대에서도 약간의 그을음이 있음을 보고 철이는 의아해 합니다.

그러자 "설령, 순결한 감람유를 만든다고 하더라도 죄 많은 인간이 만든 등대에서는 그을음이 생길 수밖에 없기에 등잔의 심지를 정리해야 한다오"라고 제사장은 덧붙입니다.

빛을 발하라

기름이 성령을 의미한다는 것을 너무나 많이 들어 잘 압니다.

"너희는 주께 받은바 기름 부음이 너희 안에 거하나니 아무도 너희를 가르칠 필요가 없고 오직 그의 기름 부음이 모든 것을 너희에게 가르치며 또 참되고 거짓이 없으니 너희를 가르치신 그대로 주 안에 거하라"[28]라는 말씀을 본 철이는 순결한 기름이라는 말에서 자신의 믿음을 돌아봅니다.

"날마다 새로워진다는 말을 등대에 채워지는 순결한 감람유로 이해하면 되는구나" 하고 시청각 교재를 갖게 됨을 기뻐합니다.

빛을 발하면서 살려고 했으나, 정작 그 빛의 원동력이 성령임을 체험적으로 알지 못했고, 또 등한히 했던 그에게 성소의 금등대는 "성령의 채워짐은 날마다 새로워야 한다"고 말하는 것입니다.

성령이 채워졌느냐 채워지지 않았느냐만이 문제였던 철이에게 이제는 성령이 채워진 것이 최근 언제냐 하는 시기의 문제가 커다란 도전으로 다가왔습니다. 과거의 간증이 아니라 오늘의 간증이 그에게 있는가가 주님께 얼마나 순결한 상태로 쓰이고 있는가의 척도라는 것입니다. '과거 지향적인 믿음 생활'을 하고 있던 자신을 돌이켜 아침마다 새롭게 하는 믿음 생활을 하겠다고 철이는 다짐합니다.

어두움을 밝히기 위해

등대의 기름은 어두움에 빛을 발하기 위함이라는 사실을 알게 되면서 빛의 속성을 한번 생각해 봅니다.

"빛이 있으면, 빛 주위에 있는 것들을 보게 됩니다. 어두운 것들이 물러나게 됩니다. 주위 사람들에게 유익을 줍니다."

"빛은 빛 자체를 위하여 존재하는 것이 아니라, 주위를 밝히기 위해 존재합니다."

성령을 주신 이유를 빛의 속성과 연관시키면서 철이는 상기된 채로 성경 구절을 떠올려 봅니다.

"우리가 세상의 영을 받지 아니하고 오직 하나님께로 온 영을 받았으니 이는 우리로 하여금 하나님께서 우리에게 은혜로 주신 것들을 알게 하려 하심이라."[29]

성령을 받으면 없는 것을 생각하기보다는 이미 받은 것을 알게 되고, 그것들을 세어 보기에 바쁘게 됩니다. 성령이 얼마나 충만한지는 얼마나 많은 것을 주셨는가를 깨닫는 것이라는 말입니다. 나에게 생명을 주시고, 나에게 평안을 주시고, 나에게 교회를 주시고, 나에게 가족을 주시고, 나에게 오늘의 삶을 주시고… 주신 것은 끝이 없습니다. 단지 어떤 때는 그것을 깨닫지 못하고 있는 것이 슬픔입니다.

"주의 성령이 내게 임하셨으니 이는 가난한 자에게 복음을 전하게 하시려고 내게 기름을 부으시고 나를 보내사 포로 된 자에게 자유를, 눈먼 자에게 다시 보게 함을 전파하며 눌린 자를 자유케 하고 주의 은혜의 해를 전파하게 하려 하심이라 하였더라."[30]

성령을 받으면 얽매는 가난함, 포로 되게 함, 눈멀게 함, 눌리게 함과 같은 결박을 복음으로 풀어 자유케 하는 힘이 생깁니다. 성령은 진실로 살리고, 힘을 주고, 또 세우는 놀라운 힘이 있다는 것을 묵상하면서 이제까지 철이 자신이 다른 사람을 세우는 데 사용되었나, 아니면 그들을 더욱 괴롭게 했는가를 생각해 보고 부끄러워합니다.

"각 사람에게 성령의 나타남을 주심은 유익하게 하려 하심이라."[31]

한마디로 성령을 주신 것은 남을 유익하게 하기 위함입니다. 자신이 얼마나 성령 충만한가를 보고 싶으면, 자신이 얼마나 많은 결박된 자들을 자유케 하고, 또 얼마나 유익한 자로 나타나는가를 보면 됩니다. 여기까지 생각한 철이는 자기 자신을 불태워 다른 사람들에게 유익한 존재, 또 덕을 끼치는 존재로 사용될 것을 꿈꾸면서 노래를 합니다.

1. 작은 불꽃 하나가 큰 불을 일으키어
   곧 주위 사람들 그 불에 몸 녹이듯이
   주님의 사랑 이같이 한 번 경험하면
   그의 사랑 모두에게 전하고 싶으리
2. 새싹이 돋아나면 새들은 지저귀고
   꽃들은 피어나 화창한 봄날이라네
   주님의 사랑 놀라워 한 번 경험하면
   봄과 같은 새 희망 전하고 싶으리
3. 친구여 당신께 이 기쁨 전하고 싶소
   내 주는 당신의 의지할 구세주라오
   산 위에 올라가서 세상에 외치리
   내게 임한 주의 사랑 전하기 원하네[32]

콧노래로 "산 위에 올라가서 세상에 외치리 내게 임한 주의 사랑

전하기 원하네"를 부르면서 정신없이 성소 안을 거닙니다.

배가 고프다

정신을 잃고 헤매기를 얼마나 했는지조차도 모르고 있다가, 구수한 냄새에 시장기를 느낀 철이는 맛있는 냄새가 나는 북쪽을 향하여 얼굴을 돌립니다. 그 곳에는 떡상이 있고 상 위에는 12개의 떡이 가지런히 놓여 있습니다. 떡을 한 개 집으려고 손을 내밀자 "이 떡은 제사장을 위한 것이오"라고 하면서, 이제까지 외부인이 있어도 아랑곳하지 않고 열심히 무엇인가를 하던 제사장이 막아서면서 말문을 엽니다.

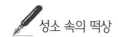 성소 속의 떡상

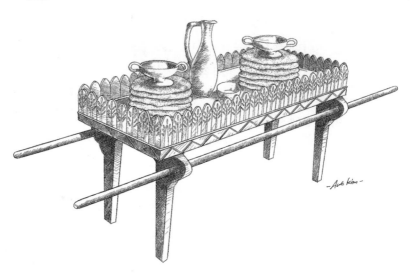

"이스라엘 백성이 애굽에서 노예 생활을 하던 중에 모세의 인도에 따라 유월절 어린 양을 잡아 피를 문설주에 바르고, 죽음의 사신으로부터 보호를 받고 출애굽 했다오. 그리고 추격해 오는 애굽의 바로와 앞을 가로 막는 홍해 때문에 어려움을 겪지만, 하나님의 권능 앞에서 손을 들고 갈라진 홍해를 건넜다오. 또한 그들은 불 기둥과 구름 기둥의 인도를 받아 광야를 통과했다오."

철이는 제사장의 설명을 들으면서 번제단과 물두멍과 등대의 영적 의미를 되새겨 봅니다.

"유월절 어린 양의 피―번제단의 피"

"손 들고 건넌 홍해―깨끗게 해주는 물두멍"

"구름 기둥과 불 기둥―금등대의 빛"

제사장은 계속해서 말합니다.

"불 기둥과 구름 기둥의 인도를 받지만, 여러 날 광야를 지나는 동안 애굽에서 가지고 나온 음식이 다 떨어졌지요. 계속해서 광야를 지나가야 할 그들은 농사를 지을 수 없었고, 주변 국가들은 그들에게 음식을 제공하기는커녕 지름길로 통과해 가는 것을 허락지 않아서 이스라엘 백성들은 참으로 난처한 처지에 놓이게 되었다오. 그래서 백성들의 원망 소리는 높아만 갔다오."

공평하신 하나님

여기까지 이야기하던 제사장은 다시 두루마리를 열더니 천천히 힘주어 읽어 내려갑니다.

"이스라엘 온 회중이 그 광야에서 모세와 아론을 원망하여 그들에게 이르되 우리가 애굽 땅에서 고기 가마 곁에 앉았던 때와 떡을 배불리 먹던 때에 여호와의 손에 죽었더면 좋았을 것을 너희가 이 광야로 우리를 인도하여 내어 이 온 회중으로 주려 죽게 하는도다 때에 여호와께서 모세에게 이르시되 보라 내가 너희를 위하여 하늘에서 양식을 비같이 내리리니 백성이 나가서 일용할 것을 날마다 거둘 것이라 이같이 하여 그들이 나의 율법을 준행하나 아니하나 내가 시험하리라 제육일에는 그들이 그 거둔 것을 예비할지니 날마다 거두던 것의 갑절이 되리라."[33]

사뭇 진지한 표정을 짓던 제사장이 한 차례 숨을 몰아 쉬더니 계속해서 읽습니다.

"저녁에는 메추라기가 와서 진에 덮이고 아침에는 이슬이 진 사면에 있더니 그 이슬이 마른 후에 광야 지면에 작고 둥글며 서리같이 세미한 것이 있는지라 이스라엘 자손이 보고 그것이 무엇인지 알지 못하여 서로 이르되 이것이 무엇이냐 하니 모세가 그들에게 이르되 이는 여호와께서 너희에게 주어 먹게 하신 양식이라 여호와께서 이같이 명하시기를 너희 각사람의 식량대로 이것을 거둘지니 곧 너희 인수대로 매명에 한 오멜씩 취하되 각사람이 그 장막에 있는 자들을 위하여 취할지니라 하셨느니라 이스라엘 자손이 그같이 하였더니 그 거둔 것이 많기도 하고 적기도 하나 오멜로 되어 본즉 많이 거둔 자도 남음이 없고 적게 거둔 자도 부족함이 없이 각기 식량대로 거두었더라."[34]

만나의 뜻이 "이것이 무엇이냐?(What is it?)"라고 제사장이 덧붙여 설명하는 것을 듣던 철이는 "그 만나와 이 상의 떡과는 무슨 상관이 있기에 이처럼 장황하게 설명하십니까?"라고 제사장에게 묻습니다.

"이스라엘 백성을 애굽에서 나오게 하신 하나님께서 그들에게 먹을 것을 주셨다오. 그리고 이스라엘 자손, 즉 열두 지파를 먹이시겠다는 의미로 열두 개의 떡을 영원한 언약으로 주신 것이라오"라고 대답하는 제사장의 설명을 들으면서 똑같은 크기의 떡을 보고 철이의 호기심이 다시 발동합니다.

그리고 "각 지파에 하나씩, 그러니까 열두 개의 떡은 열두 지파…. 유다 지파에게도 갓 지파에게도 똑같은 크기의 떡 하나씩을 주신 하나님?" 하면서 중얼거립니다. 축복을 더 받은 유다 지파나 덜 받은 갓 지파나 똑같이 먹여 주신 공평하신 하나님께서는 의인이나 불의한 사람이나 먹을 것을 나누어 주신다는 것을 깨닫습니다.

영원한 언약

떡을 좀 달라고 조르는 철이에게 제사장은 맛볼 수 있게 허락합니다. 이제까지 먹어 보던 떡과는 맛이 좀 달라 "찐 떡이 아니라 구운 것 같은데요? 무슨 재료로 떡을 만들었나요?" 하고 묻습니다. 그러자 제사장은 다시 두루마리 책을 꺼내 읽습니다.

"너는 고운 가루를 취하여 떡 열둘을 굽되 매 덩이를 에바 십분이로 하여 여호와 앞 순결한 상 위에 두 줄로 한 줄에 여섯씩 진설하고 너는 또 정결한 유향을 그 매 줄 위에 두어 기념물로 여호와께 화제를 삼을 것이며 항상 매 안식일에 이 떡을 여호와 앞에 진설할지니 이는 이스라엘 자손을 위한 것이요 영원한 언약이니라 이 떡은 아론과 그 자손에게 돌리고 그들은 그것을 거룩한 곳에서 먹을지니 이는 여호와의 화제 중 그에게 돌리는 것으로서 지극히 거룩함이니라 이는 영원한 규례니라."[35]

철이는 말씀을 들으면서 여섯 개씩 두 줄로 놓여 있는 떡의 배치를 살펴보기도 하고, 또 상 위에 놓인 유향도 봅니다. 그러다가 이는 이스라엘 자손을 위한 것이고, '영원한 언약'이라는 말에 귀가 솔깃합니다.

'영원한 언약이라면 지금도 무슨 관계가 있어야 하는 것이 아닌가?'라고 생각하는 철이의 뇌리에 말씀이 떠오릅니다.

"예수께서 가라사대 내가 곧 생명의 떡이니 내게 오는 자는 결코 주리지 아니할 터이요 나를 믿는 자는 영원히 목마르지 아니하리라."[36]

광야에서 영원한 언약을 주신 하나님께서는 예수 그리스도를 생명의 떡으로 주신 것입니다.

생명의 떡

그런데 도대체 생명의 떡이라는 것의 의미가 무엇입니까? 영적인 것을 의미하는 것입니까? 아니면 성찬을 의미하는 것입니까? 철이의 머리가 복잡해집니다.

그는 다시 성경 속에서 만나를 찾아 헤매다가 마음을 사로잡는 말씀을 접하게 됩니다.

"너를 낮추시며 너로 주리게 하시며 또 너도 알지 못하며 네 열조도 알지 못하던 만나를 네게 먹이신 것은 사람이 떡으로만 사는 것이 아니요 여호와의 입에서 나오는 모든 말씀으로 사는 줄을 너로 알게 하려 하심이니라."[37]

이 말씀의 후반부는 예수님께서 광야에서 시험당하셨을 때 인용하셨기에 너무나 많이 듣던 말씀입니다. 그런데 그 말씀이 바로 만나를 먹이신 이유라는 것을 알게 된 철이는 "이것이야말로 생명의 떡이란 말씀을 해석할 수 있는 단서로구나!"라고 하면서 기뻐합니다.

그리고 광야에서 주려 죽지 않도록, 만나를 한꺼번에 몇 주일 혹은 몇 달 분을 주신 것이 아니라 하루에 한 오멜씩 하루 분만을 주신 하나님의 속마음을 헤아려 봅니다.

"광야에서 죽지 않기 위해 만나를 먹었듯이, 순례자의 길을 가는 인생 길에서도 말씀을 먹어야 한다."

"어제의 만나가 오늘은 썩어서 아무 도움이 되지 않듯이, 말씀도 어제의 말씀이 오늘 적용되는 것이 아니라 오늘 아침에는 새로운 말씀을 채워야 한다. 그러므로 매일 말씀을 먹으라."

철이는 이제 압니다. '오늘의 말씀'이 왜 그렇게도 중요한 것인지를 그리고 말씀이 왜 생명의 양식인지를.

아름다운 향내

떡상에서 만나와 말씀을 먹은 철이는 향기로운 냄새에 코를 킁킁거립니다. 제사장은 향로를 손에 잡더니, 그를 데리고 안뜰로 나갑니다. 그리고 발걸음을 번제단으로 옮겨 가더니 조심스럽게 단에서 불씨를 취하여 향로에 담습니다.[38] 안뜰 한쪽 구석에는 이스라엘 백성의 무리들이 옹기종기 모여 무엇인가를 열심히 빻고 있습니다.

그들은 향나무를 빻아서 향을 만들고, 조개 껍질을 잘게 부수어서 향을 만들고, 고무나무를 벗기고 빻아서 향을 만듭니다. 제사장이 똑같은 양의 향들을 취하여 시체에 바르는 유향에 잘 섞습니다. 향내가 좋기만 합니다. 계속해서 제사장은 네 가지 향이 잘 섞인 향품에 소금을 칩니다. 이때 철이가 궁금한 표정을 짓습니다. 제사장은 소금을 뿌리고 나서 엄숙한 표정으로 하늘을 향하여 기도드린 후, 소금이 향품을 거룩하게 한다고 설명해 줍니다.[39]

제사장은 두 손에 곱게 빻은 향기로운 향을 움켜쥐고 서서히 발걸음을 옮겨 성소로 들어와 번제단과 같이 네 개의 뿔이 달린 향단으로 갑니다. 그리고 향불을 피웁니다. 향의 연기가 모락모락 나기 시작하더니, 어느새 성소 안에 향 연기가 퍼집니다. 성소 안은 아름다울 뿐만 아니라 좋은 향내가 가득합니다.

향의 연기가 두 손을 든 모습처럼 하늘을 향해 올라가는 것을 지

분향단

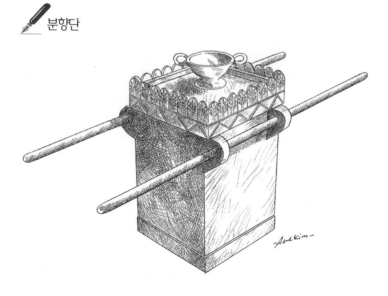

켜보던 철이는 "나의 기도가 주의 앞에 분향함과 같이 되며 나의 손 드는 것이 저녁 제사같이 되게 하소서"[40]라는 말씀을 마음에 떠올려 봅니다. 금등대는 성령의 인도하심을 상징하고, 떡상은 말씀의 인도하심을, 분향단은 기도를 상징한 셈입니다. 철이는 "성령과 말씀과 기도가 성소 안에서 아름답게 조화를 이루고 있구나"라고 혼잣말을 해봅니다.

중보 기도

향이 하나님의 백성의 기도로 표현된 말씀 속에서, 또 향의 연기가 온 성소를 감싸고 넘쳐 흘러 지성소로 넘어가는 모습을 바라보면서, 철이는 기도하기에 열심을 내지 못했던 자신의 모습에 부끄러움을 갖습니다.

물론 그도 지금까지 기도하면서 여기에 왔던 것입니다. 출입문에서 예수님의 아름다운 모습을 보면서 기도했고, 번제단에서 피흘려 죽으신 예수님께 회개하고 통곡하면서 피로 씻김을 받고 감격의 기도를 드렸고, 연약하여 죄 짓고 죄책감에 시달리다가 물두멍에서 자백의 기도를 드렸습니다. 또한 주님만 의지하고 성소에 들어와서 금등대에서 하루하루를 위하여 성령의 인도하심이 있기를 기도했고, 하루의 일과를 마치고 정리하면서 잘못을 고하는 기도도 드렸고, 떡상에서 말씀을 읽으면서 영안이 열리도록 기도했습니다.

부족하지만, 기도할 수 있게 해주신 것에 감사드리면서 "분향단이 기도를 뜻한다면, 하나님께서 원하시는 기도는 무엇일까?"라는 의문을 가져 봅니다. 아무런 대답이 없는 적막함 속에서 그는 향의 연기가 끊임없이 지성소로 넘어가는 모습을 물끄러미 바라봅니다.

꿈인지 생시인지 알 수 없는 가운데, 그 하얀 연기 속에서 아론과 훌의 도움 속에 모세가 손을 들고 기도하는 모습이 보입니다. 그러다가 모세의 모습은 사라지고 여호수아 장군이 아말렉과 싸우는 모습이 보입니다.[41] 여호수아의 군대가 승리하여 사기가 충천합니다. 얼마의 시간이 지나, 모세가 피곤하여 두 손을 내립니다. 그 모습과 함께 패배하여 쫓기는 여호수아의 모습이 아른거립니다. 모세가 손 들고 기도하면 승리하고, 손 내리면 패배하는 모습이 반복되는 가운데 아론과 훌이 돌을 취하여 모세를 앉히고 양 옆에서 모세의 팔을 들어 줍니다.

철이는 그런 모습을 계속 지켜보다가 "바로 이것이구나!" 하면서 신을 냅니다. "영적 싸움을 위한 기도, 중보 기도를 하라고 하시는구나!" 분향단에서 기도의 새로운 의미를 찾은 철이는 어찌 할 바를 모르며 기뻐합니다.

성령의 인도하심에 대한 것과, 말씀의 양식을 먹어야 한다는 것은 많이 들었지만, 중보 기도의 중요성에 대해서는 잘 듣지 못했었습니다. 그러나 이제 그 중요성을 알고 나서 지나간 자신의 기도 생활을 돌아보니 그 동안 거의 자신만을 위해서 기도했다는 것을 깨닫게 됩니다.

"너희는 먼저 그의 나라와 그의 의를 구하라 그리하면 이 모든 것을 너희에게 더하시리라"[42]는 말씀의 의미를 중보 기도라는 차원에서 생각해 보고 "먼저 그의 나라를 구하라"는 말씀의 구체적인 실천 방법을 배웁니다. 뛰어오를 것 같은 감격과 기쁨 속에서 지성소를 향하여 한 발자국 옮길 때, 그의 앞으로 휘장이 막아 섭니다.

기쁨의 종소리

성소에는 앉을 수 있는 의자가 없습니다.
제사장은 계속 서서 지내야만 합니다. 힘이 듭니다.
그러나 성소 어디에서나 주님을 체험하기 때문에 불평
대신에 찬송을, 슬픔 대신에 기쁨을 느끼게 됩니다.

방울 소리

지성소를 단단히 지키려는 듯 준엄한 모습의 천사들이 수놓여 있는 휘장은 네 가지 색깔로 짜여 있습니다. 출입문의 휘장도 성소의 휘장도 똑같은 색깔로 되어 있지만, 지성소의 휘장은 더욱 정교하게 짜여졌다는 것을 바로 알 수 있습니다. 철이는 파란색, 자주색, 하얀색, 빨간색의 네 가지 색깔 때문에 친숙함을 느낍니다.

들어가려다가 막혔던 것도 잊은 채 친숙한 색깔이 참으로 반갑다고 느끼는 철이의 귓전에 어디선가 아름다운 방울 소리가 들려옵니다.

"딸랑딸랑"

"딸랑딸랑"

은은한 방울 소리가 나는 쪽으로 눈을 돌려 보니 제사장이 움직이고 있습니다. 제사장이 움직이는 정도에 따라 소리가 크게 나기도 하고 작게 나기도 합니다. 아름다운 소리를 발하는 제사장의 옷도 네 가지 색깔입니다. 성소 안의 어디를 보나 네 가지 색깔로 덮여 있는 셈입니다. 파란색, 자주색, 하얀색, 빨간색, 이렇게 친숙한 네 가지 색으로 이루어진 예쁜 옷을 '에봇'이라 부른다고 제사장은 설명해 줍니다.

에봇 안쪽의 파란색깔의 옷자락에 석류 방울 하나, 금방울 하나, 또 석류 방울 하나, 금방울 하나가 계속해서 교대로 달려 있습니다.[43] 그는 호기심으로 금방울을 세어 봅니다.

"하나, 둘, 셋, 넷… 서른 여섯."[44]

청색, 자색, 홍색실로 수놓인 36개의 석류 방울이 금방울 사이에 보기 좋게 나열되어 있습니다. 그리고 제사장이 움직일 때마다 금

제사장의 모습

관

금패

보석

우림과 둠밈

흉패

띠

에봇

겉옷

속옷

방울과 석류 방울이 부딪쳐서 방울 소리가 아름답게 울립니다.

석류 방울과 금방울이 유난히도 선명하게 대조되어 보입니다.

"파란색 옷 아래에 하얀 세마포 천의 옷을 입고 있기 때문이구나" 하고 그 이유를 알게 됩니다. 결국 제사장은 세 겹의 옷을 입은 셈인데, 바깥쪽 옷이 더 짧아서 속에 무엇을 입었는지를 누구나 쉽게 알아볼 수 있습니다.

아름답도다

에봇을 입은 제사장의 모습을 자세히 보던 철이는 "보통 속옷이 보이지 않게 겉옷이 길고 큰 편인데, 제사장의 옷은 왜 속옷일수록 길까?" 하고 생각에 잠깁니다. 보통 사람들은 겉옷을 길게 입음으로써 속옷을 감추려고 하지만, 하나님께서는 제사장들에게 겉옷을 짧게 입도록 하심으로써 그들을 드러내보이는 투명한 삶을 살아가라고 하시지 않았나 추론해 봅니다. 제사장이 그런 삶을 살아가야 한다면, "겉과 속이 같은 제사장의 삶은 아름답겠구나" 하며 그는 제사장을 부러워합니다.

광야의 성소 속에서 서서 섬기는 제사장은 속옷 위에 청색 옷을, 그 위에 에봇을 입고 있으니, 입고 있는 옷들이 무겁겠다고 생각하는 순간, 말씀 한 구절이 스쳐 지나갑니다.

"과연 우리가 여기 있어 탄식하며 하늘로부터 오는 우리 처소로 덧입기를 간절히 사모하노니 이렇게 입음은 벗은 자들로 발견되지 않으려 함이라 이 장막에 있는 우리가 짐 진 것같이 탄식하는 것은 벗고자 함이 아니요 오직 덧입고자 함이니 죽을 것이 생명에게 삼킨 바 되게 하려 함이라."[45]

짐을 지면 무거움 때문에 벗고 싶어하는 것이 보통입니다. 그런데 성경은 무거운 짐을 벗어 버림으로써 가볍게 하는 것이 아니라, 하늘로부터 오는 것을 덧입음으로써 가벼워지는 것을 말하고 있습니다.

과연, 하늘로부터 오는 우리의 처소가 바로 예수님이기에 덧입는 것에 무거움을 느끼는 대신에 덧입기를 사모하라고 바울은 권합니다. 그러면 생명이 죽음을 삼켜 버리기 때문입니다. 사람은 보통 무거운 것, 거추장스러운 환경에서 벗어나면 문제가 해결되리라 생각하는데, 참다운 해결 방법은 생명이 그와 같이 죽음을 삼켜 버릴 때에 있음을 말합니다. 이는 바울만의 말이 아닙니다.

"수고하고 무거운 짐 진 자들아 다 내게로 오라 내가 너희를 쉬게 하리라 나는 마음이 온유하고 겸손하니 나의 멍에를 메고 내게 배우라 그러면 너희 마음이 쉼을 얻으리니 이는 내 멍에는 쉽고 내 짐은 가벼움이라 하시니라."[46]

예수님께서도 무거운 짐을 지고 수고하는 자에게 짐을 벗는 것에 대해서는 전혀 말씀하시지 않고, 더 메라고 하시면서 예수님의 멍에를 메면 더 가벼워진다고 말씀해 주셨습니다.

반짝이는 금패

철이는 세 겹의 옷을 덧입고 성소에 있는 제사장을 보면서, '제사장은 이곳에서 무엇을 하는 것일까?' 하고 생각해 봅니다.

제사장은 덧입고 있으나 무거움을 느끼지 않습니다. 그는 기쁨으로 금등대의 등잔에 기름을 붓고, 심지의 그을음을 잘라내고, 떡상의 물품들을 정리하고, 향을 사르면서 분주히 움직입니다. 분주히 움직일 때마다 울리는 방울 소리와 함께 제사장의 머리에 무엇인가가 번쩍거립니다. 이마의 금패에서 나는 빛입니다.

"원 세상에! 제사장이 금으로 앞머리를 치장하다니."

철이는 의아해 합니다. 그런 그의 마음을 아는 듯 제사장이 갑자기 두루마리를 엽니다.

"너는 또 정금으로 패를 만들어 인을 새기는 법으로 그 위에 새기되 여호와께 성결이라 하고 그 패를 청색 끈으로 관 위에 매되 곧 관 전면에 있게 하라 이 패가 아론의 이마에 있어서 그로 이스라엘 자손의 거룩하게 드리는 성물의 죄건을 담당하게 하라 그 패가 아론의 이마에 늘 있으므로 그 성물을 여호와께서 받으시게 되리라."[47]

금패가 제사장인 아론의 이마에 있어야 하되 항상 있어야 한다는 것입니다. 그 패가 항상 있으므로 인하여 성물을 여호와께서 받으신다는 것입니다. 그렇다면 금패는 제사장을 위한 것이 아니라, 백성들의 성물을 위해 제사장의 이마에 두어야 한다는 것입니다. 그렇게 이해하고 난 그는 금패 위에 글자가 있음을 발견하고 거기에 쓰여진 글자를 자세히 봅니다. 이상한 글자가 쓰여 있습니다.

קדש ליהוה:

"קדש ליהוה: ???"

머리를 갸웃거리고 있는데, 제사장은 "yehovah qodesh"라고 읽어 줍니다. 그리고 "여호와께 성결"[48]이라고 해석해 줍니다. 그

글자가 금빛과 어울려 찬란하게 빛납니다. 제사장의 삶이 여호와께 성결된 것이 그처럼이나 중요하기에 금패에 기록하고 가장 눈에 잘 띄는 이마에 붙여 항상 있게 하라는 것임을 생각해 봅니다. 그렇다면 사실상 금패 때문에 백성의 성물을 받으시는 것이 아니라, 제사장의 성결 때문에 받으시는 것입니다.

제사장의 울음

제사장은 자신이 무엇을 하는 자인가를 철이에게 알려 주기 위해 제사장의 역할에 관한 말씀이 담긴 두루마리를 꺼내어 읽습니다.

"레위 자손 제사장들도 그리로 올지니 그들은 네 하나님 여호와께서 택하사 자기를 섬기게 하시며 또 여호와의 이름으로 축복하게 하신 자라 모든 소송과 모든 투쟁이 그들의 말대로 판결될 것이니라."[49]

그것을 듣고 철이는 정리해 봅니다. 그리고 나서 "제사장은 하나님을 섬기고 여호와의 이름으로 백성을 축복하는 자"임을 알게 됩니다. 섬기고 축복하는 자인 제사장의 위엄 있는 모습에 철이는 말문이 막혀서 조용히 지켜만 봅니다.

'섬김' 과 '축복' 이라는 임무의 양면성을 인식한 제사장은 자신의 임무를 다시 되새기듯, 하늘을 쳐다보고 두 손을 들면서 입으로 무엇인가를 중얼거립니다.

"너희가 그 연약한 자를 강하게 아니하며 병 든 자를 고치지 아니하며 상한 자를 싸매어 주지 아니하며 쫓긴 자를 돌아오게 아니하며 잃어버린 자를 찾지 아니하고 다만 강포로 그것들을 다스렸

도다 목자가 없으므로 그것들이 흩어지며 흩어져서 모든 들짐승의 밥이 되었도다."[50]

하나님을 정성으로 섬기고 백성들에게 축복을 주면서 살아온 제사장은 연약한 자, 병 든 자, 상한 자, 쫓긴 자, 잃어버린 자라는 단어들을 읽으면서 유난히 목소리가 떨리더니, "여호와여, 맡겨 주신 사명을 감당치 못한 것을 용서하소서! 용서하여 주소서"라고 하면서 눈물을 흘립니다. 강하게 하고, 고치고, 싸매고, 돌아오게 하고, 찾는 데에는 너무나 부족한 자신을 돌아보며 제사장은 통회합니다.

제사장의 통회함을 지켜보던 철이는 더욱더 부끄러운 자신의 모습을 봅니다. 자기 자신이 얼마나 이기적인 믿음 생활을 해왔었는가를 적나라하게 보는 순간입니다.

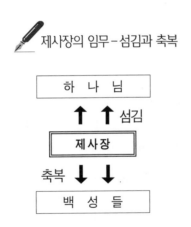

제사장의 임무 – 섬김과 축복

아름다운 휘장

울면서 자신과 백성의 죄를 위해 기도하던 제사장이 갑자기 눈을 들더니 주위를 둘러봅니다. 성소의 두 벽에서는 여전히 금빛이 찬란히 빛나고 있습니다. 성소 안에서는 뒤를 돌아 출입문을 보아도, 위를 향하여 천정을 보아도, 지성소 쪽의 앞을 보아도 에봇 색깔만 있습니다. 성소 안의 어느 곳에서나 예수 그리스도를 볼 수 있는 셈입니다.

성소 안에서 섬겨야 하는 제사장의 삶은 기쁨의 삶임에 틀림없지만, 그 곳에는 앉을 수 있는 의자가 없습니다. 제사장은 계속 서서 지내야만 합니다. 힘이 듭니다. 그때마다 무거운 발걸음을 방울 소리가 새롭게 합니다. 성소 안에서 일하는 제사장은 방울 소리가 울려퍼지는 가운데 어디에서나 주님을 체험하기 때문에 불평 대신에 찬송을, 슬픔 대신에 기쁨을 느끼게 됩니다.

철이는 믿음 생활에 그러한 기쁨이 있는 것을 모르고 힘겹게만 믿음 생활을 해온 자신을 돌아봅니다. 그의 삶 속에 아름다움과 격려가 있는가, 아니면 비난과 짜증이 있는가를 생각해 봅니다. 그러면서 성소 안의 삶을 사는가, 아니면 아직도 안뜰에만 머물고 있는가를 가늠해 봅니다.

철이는 단지 지금 에봇 색깔을 보면서 감탄하고 있지만, 제사장은 기쁨의 방울 소리를 울리면서 쉬지 않고 계속 움직입니다. 제사장이 저렇게 신나게 움직이는 비결이 아마도 저 지성소로부터 흘러나왔을 것이라는 생각이 드니, 그는 휘장 너머의 지성소가 궁금하기만 합니다. 그래서 그쪽으로 한 발자국 다가갑니다. 그러나 또 그의 출입이 허용되지 않습니다. 마치 "사용자 외 출입 금지"라고 말하는 듯 휘장은 굳게 쳐 있기만 합니다.

옷을 벗고

　제사장의 양 어깨에는 보석 둘이 달려 있습니다. 그 두 보석에는 야곱의 열두 아들의 이름이 각각 여섯 명씩 쓰여 있습니다. 결국 제사장이 열두 아들을 짊어지고 있는 셈이어서 실로 무거운 짐이 제사장의 어깨에 놓인 것이라 생각해 봅니다. 어깨의 두 보석도 찬란히 빛나고 있지만, 제사장의 가슴 앞에는 더 많은 보석들이 있습니다.

　"하나, 둘…, 열둘."

　모두 열두 개의 보석이 한 뼘 되는 크기의 흉패에 달려서 서로 자기를 보라는 듯 빛나고 있습니다. 제각기 다른 보석이고, 또 각 보석마다 한 지파의 이름이 쓰여 있는 것이 참 인상 깊습니다.[51] 어깨에 열두 아들을 짊어지고 있는 제사장은 이제 열두 지파를 가슴에 안고 있는 격입니다.

　신기하다는 듯 쳐다보는 철이에게 무엇인가를 보여 주려는 듯이, 제사장은 보석이 달린 흉패를 꼭 껴안아 봅니다. 잠시 후에 열두 보석을 한 번 쓰다듬더니, 제사장은 천천히 에봇을 벗습니다. 그러자 파란색 옷 때문에 제사장이 돋보입니다.

　그러나 제사장은 곧 이어 방울이 달린 파란색 옷도 벗고, 이제 새하얀 세마포 옷에 세마포 두건만 쓰고 있습니다. 에봇의 아름다움이나 파란색의 옷이 주는 즐거움의 느낌과는 달리 하얀색 옷의 깨끗함에서는 거룩함을 느낍니다.

　"오직 너희는 택하신 족속이요 왕 같은 제사장들이요 거룩한 나라요 그의 소유된 백성이니 이는 너희를 어두운 데서 불러내어 그의 기이한 빛에 들어가게 하신 자의 아름다운 덕을 선전하게 하려 하심이라"[52]

이 말씀이 갑자기 스쳐 가면서, 철이는 "기이한 빛에 들어가게 하시겠다"고 하시는 주님의 음성을 감동 속에서 듣습니다.

새하얀 옷에 두건을 쓴 제사장이 희생 제물의 피가 담긴 양푼의 피를 손가락으로 찍더니, 분향단의 뿔에 바릅니다.[53] 분향단의 연기가 유난히도 자욱하게 올라갑니다. 그리고 향단의 연기가 지성소로 빨려 들어갑니다. 빨려 들어가는 향연(香煙)을 따라 들어가듯이, 피를 담은 대야를 든 제사장이 지극히 거룩한 방으로 발길을 옮깁니다.

조금 전에 철이가 들어가는 것을 막아 섰던 그 휘장은 제사장이 들어가는 것은 막지 않았습니다. 이때는 철이도 희생 제물의 피만을 생각하면서 열려진 휘장을 통해 제사장의 뒤를 따라 거룩한 방으로 들어갑니다.

✎ 흉패(Breast Plate of Judgement)

홍보석 Sardius ◆	황옥 Topaz □	녹주옥 Carbuncle ◉
석류석 Emerald ■	남보석 Saphire ◎	홍마노 Diamond ◇
호박 Lingure ●	백마노 Agate ○	자수정 Amethyst △
녹보석 Beryl ★	호마노 Onyx ☆	벽옥 Jasper ◑

·················· 22.5 cm ··················

8

빛보다 더 밝은 빛

철이는 지성소에 그대로 머물고 싶었지만
저 바깥 세상을 향한 하나님의 사랑 때문에 밖으로
나가야 합니다. 뜰 밖에서 하나님을 모르는 채
죽어 가는 영혼들에게 가야 합니다.

안과 밖

향 냄새와 연기가 가득한 지성소 안에 들어온 철이는 황홀한 체험을 합니다. 자신이 몸 안에 있는지 몸 밖에 있는지, 또 현실 속에 있는지 가상의 세상 속에 있는지 분간할 수가 없습니다. 분명히 어두움 속에 있는데, 전혀 그 어두움을 느낄 수 없는 어떤 형용할 수 없는 밝음이 그를 감쌉니다. 과거와 미래가 동시에 교차하는 것을 봅니다. 좌절하고 쓰러졌던 자신의 과거를 보는 동시에, 형용할 수 없는 영광에 싸여 있는 자신의 미래를 봅니다.

자동차를 타고 있는 자신이 길 위를 달려가는가 싶더니, 이제 길 아래로 대롱대롱 매달려서 갑니다. 전혀 현기증도 나지 않고, 이상하다고 느끼지도 않습니다.

그는 과거에 종이를 접어 '뫼비우스 띠'를 만들던 장면을 생각해 보고 빙긋이 웃습니다. 뫼비우스 띠에는 위와 아래가 공존합니다. 연필을 종이에서 떼지 않고 계속 그리면 앞뒤와 위아래에 상관없이 줄이 그어지는 것입니다. 뫼비우스 띠에서는 앞이 뒤고, 뒤가 앞인 세상이 벌어집니다.

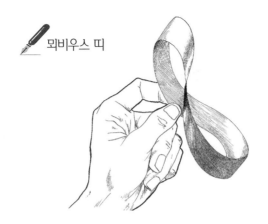

뫼비우스 띠

철이는 지성소에서 과거와 현재와 미래가 동시에 펼쳐지는 것을 봅니다. 공상 소설에서 보았던 타임 머신이라는 것에도 과거와 미래가 동시에 있지는 않은데, 지성소 안에서는 그것이 동시에 벌어지고 있습니다. 시간과 장소를 초월하시는 하나님이 계시는 곳이기 때문인가 봅니다.

찬란함

창문도 없고 빛도 없는데, 햇빛이 있는 것보다도 훨씬 더 환한 밝음 속에 지성소 안의 언약궤가 찬란히 빛나고 있습니다. 언약궤 위에는 두 그룹이 각기 두 날개를 활짝 벌리고 있습니다. 그룹은 반짝이는 눈으로 언약궤를 뚫어지게 보고 있습니다. 그 눈빛의 힘에 의해서인지 어떤 다른 힘에 의해서인지 알 수 없으나, 언약궤의 뚜껑이 열리고 궤 안에서 금빛이 찬란하게 비쳐 나옵니다. 너무나 찬란하기에 철이는 그만 자지러지고 맙니다.

한참 후에 정신을 차린 그는 언약궤가 활짝 열린 것을 보지만, 그 속을 들여다볼 엄두를 내지 못합니다. 언약궤 속을 들여다보다가 죽은 벧세메스의 사람들이 생각났기 때문입니다.[54] 제사장은 언약궤 안에는 만나를 담은 금 항아리, 율법을 새긴 두 돌판, 아론의 싹 난 지팡이가 있다고 설명해 줍니다. 철이는 '언약의 두 돌판이 들어가 있으니 언약궤라고 불리는 것은 당연하구나' 라고 생각합니다.

하나님께서는 이스라엘 백성이 광야에서 굶주려 죽겠다고 불평할 때 만나를 주셨고, 왜 아론만이 제사장 직분을 감당해야 하느냐고 불평했을 때 아론의 싹 난 지팡이를 주셨다고 제사장은 계속 설명합니다. 백성은 불평하나 하나님께서는 기적을 일으키셔서 그들을 살리시고 인도하셨던 것입니다.

율법의 두 돌판과 함께 만나가 담긴 금 항아리와 아론의 싹 난 지팡이가 지성소 안에 있다는 것이 매우 인상 깊게 느껴집니다.

"나의 삶은 어떠했는가?" 하고 돌이켜보니, 불평을 늘어 놓았던 그에게도 만나의 체험이 있었습니다. 또 죽은 나뭇가지에서 싹이 났던 것과 같이 죽어 버렸던 그에게도 하나님으로 말미암아 생명이 주어졌습니다. 불평을 변케 하여 귀한 것으로 주시는 주님을 다시 한번 만납니다.

뿌려진 피 방울

찬란함이 언약궤 안에서 빛났던 것도 잠깐, 언약궤의 뚜껑이 닫힙니다. 금 뚜껑입니다. 그것도 굉장히 두꺼운 뚜껑이었기에 육중한 소리가 납니다. 마치 호통하시는 것처럼 들립니다. 그 소리에 제사장도 철이도 정신을 차립니다. 제사장은 언약의 직분을, 먹이는 직분을, 살리는 직분을 잘 지키지 못한 것을 슬퍼하면서, "용서하여 주옵소서"라고 기도합니다. 연이어 손가락에 피를 묻히더니 금빛 찬란한 언약궤 뚜껑에 피를 한 방울 뿌립니다.

'감히 그 귀한 언약궤에 피를 뿌리다니…'

철이는 깜짝 놀랍니다. 그런데 더욱 놀란 것은 언약궤의 그룹이 피가 뿌려진 언약궤 뚜껑을 뚫어지게 보고 있고, 제사장 또한 아랑곳 하지 않고 피 묻은 언약궤 뚜껑을 뚫어지게 쳐다보고 있다는 것

때문입니다. 피 뿌려진 뚜껑을 보면서 제사장은 본격적으로 자신의 죄와 제사장으로서 직분을 제대로 감당하지 못한 죄를 인하여 사죄의 기도를 드립니다.

"속죄소에 뿌려진 희생 제물의 피를 보시고 저의 죄와 제사장 직분의 죄를 용서하여 주옵소서."

제사장은 진실로 간절히 기도합니다.

"속죄소에 뿌려진… 용서하여 주옵소서."

되풀이하여 간절히 기도드리는 것을 듣고서야 철이는 언약궤의 뚜껑이 '은혜와 자비가 베풀어지는 곳' 인 속죄소라는 사실을 깨닫게 됩니다.[55] 거룩한 제사장으로 인쳐 주셨는데도 불구하고 맡겨진 사명을 감당치 못한다고 속죄하는 모습을 보고 철이도 자신을 위하여 속죄의 기도를 드립니다. 그리고 지극히 높은 보좌라는 말을 실감해 보며 하염없는 눈물 속에서 찬송을 부릅니다.

빛나고 높은 보좌와 그 위에 앉으신
주 예수 얼굴 영광이 해같이 빛나네 해같이 빛나네
지극히 높은 위엄과 한없는 자비를
뭇천사 소리 모아서 늘 찬송 드리네 늘 찬송 드리네[56]

그때까지 간절히 속죄의 기도를 하던 제사장이 이제는 몸을 뒤로 돌려 휘장을 향하여 보면서 피를 뿌립니다. 손가락으로 피를 발라 뿌리면서, "이 패역하고 목이 곧은 백성의 죄 또한 사하여 주시옵소서"라고 말하고 다시 피를 뿌리면서 백성을 위해 기도합니다. 그렇게 하기를 일곱 번 합니다.

빛보다 더 밝은 빛

뿌려진 피를 보고 있을 때, "피 흘림이 없은즉 사함이 없느니라" 는 음성과 함께 지성소 안은 더욱더 밝게 빛나고, 피가 뿌려졌던 속 죄소와 휘장 부분도 더욱더 빛납니다. 곧 이어 언약궤의 그룹이 날 개를 활짝 피고 "거룩, 거룩" 하며 천군 천사들이 화답합니다. 제사 장의 얼굴빛이 찬연히 빛나고, 황홀함 속에 몰입되는 것을 봅니다.

철이도 이런 밝음 속의 황홀경에 머물고 싶어합니다. 그리고 변 화산에서 빛나는 주님의 모습을 본 세 제자들이 초막 셋을 짓고 계 속 거기에 살고 싶어하던 심정을 헤아려 봅니다.

"주여 우리가 여기 있는 것이 좋사오니 주께서 만일 원하시면 내 가 여기서 초막 셋을 짓되 하나는 주를 위하여, 하나는 모세를 위 하여, 하나는 엘리야를 위하여 하리이다."[57]

그때 제자들은 '주님이 원하시면'이라고 했지만, 철이는 그냥 머물러 있겠다고 한 자신의 추한 모습을 봅니다.

하나님은 세상 사람들을 너무나도 사랑하십니다. 자기의 외아들 예수를 주실 만큼이나 사랑하십니다. 예수님도 자기 몸을 희생 제 물로 줄 만큼이나 세상 사람들을 사랑하십니다. 그래서 제자들을 그냥 산에만 두실 수가 없습니다. 때문에 그들을 데리고 산에서 내 려오십니다. 세상 사람들을 위해서 그들이 해야 할 일이 많이 있기 에, 또 결박에서 풀려나야 할 사람들이 많았기에 주님은 그들과 함 께 내려올 수밖에 없습니다.

마침 그때 하늘로부터 제사장에게 "여호와 앞에서 분향하여 향 연으로 증거궤 위 속죄소를 가리우게 할지니 그리하면 그가 죽음 을 면할 것이며"[58]라는 소리가 들려옵니다. 제사장이 분향을 하는 것은 하나님께 향을 드리기 위해서라고만 생각했는데, 사실은 그 것이 다가 아니었던 것입니다. 제사장 자신을 위하고, 또 그가 죽 지 않기 위해서도 해야 하는 것이었습니다.

언약궤를 메고

언약궤에 향연이 충만하지 않았다면 제사장은 물론 철이도 죽었 을지 모른다고 생각하니 아찔합니다. 분명히 사랑의 하나님으로 은혜를 베푸시는 것이 틀림없지만, 그렇다고 해서 하나님의 지존 하심 앞에 자기 멋대로 나가서는 안된다는 것을 깨닫습니다.

언약궤와 죽음을 생각하던 철이의 생각은 수레에서 넘어지려는 언약궤를 붙잡음으로써 죽은 웃사에게로 달려갑니다.[59] 아무리 보 아도 억울한 죽음이라는 생각이 듭니다. "존귀한 언약궤를 보호하 려고 잡은 웃사가 무엇을 잘못했다는 것인가?" 하고 반문해 봅니 다.

언약궤의 향연 속에서 이스라엘 군대를 격파한 블레셋 군대가 언약궤를 빼앗아 가는 모습이 보입니다. 적지에 홀로 있던 언약궤 는 블레셋의 신들을 물리치고 블레셋 백성에게 재앙을 내립니다. 견디다 못한 블레셋 사람들은 언약궤에 속건제를 드리고 새 수레 에 실어 이스라엘로 돌려 보냅니다.[60] 자욱한 향연 속의 장면은 바 뀌어 언약궤를 메고 요단 강을 건너는 제사장의 모습이 보입니다.[61] 연이어 제사장이 언약궤를 메고 여리고 성을 돕니다. 갑자기 나팔 이 울리고 백성이 함성을 내지릅니다. 요란하게 성이 무너지고 비 명 소리가 들립니다. 그 소리에 철이는 제정신을 찾고 향연 속에 보였던 환상은 사라집니다.

차라리 하지나 말 것이지

　정신차린 그는 언약궤의 양 옆에 막대기가 꽂혀 있음을 봅니다. 제사장이 메고 가던 그 막대기입니다. 다가가서 조심스럽게 막대기를 만져 봅니다. 그리고 촉감이 이상해 살짝 두들겨 봅니다. 나무에 금을 입힌 것이 분명합니다. 제사장은 다시 두루마리를 열어 언약궤의 막대기에 관한 설명이 담긴 말씀을 읽습니다.

　"조각목으로 채를 만들고 금으로 싸고 그 채를 궤 양편 고리에

　✐ 언약궤

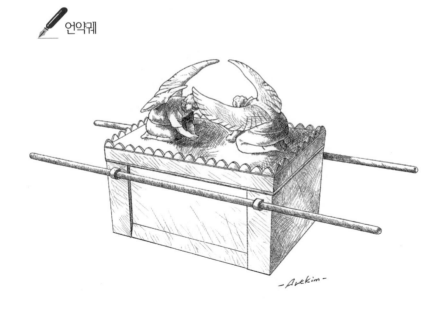

-Arekim-

꿰어서 궤를 메게 하며 채를 궤의 고리에 꿴 대로 두고 빼어내지 말지며."[62]

언약궤를 직접 만지지 못하도록 막대기가 있어야 하고, 또한 메도록 되어 있는 것을 철이는 말씀으로 알게 됩니다. 웃사의 경우 언약궤를 만졌다는 사실 이전에 언약궤를 어깨에 메지 않고 수레에 실었다는 것부터 잘못된 것입니다. 철이는 블레셋 사람이 한 것처럼 웃사가 언약궤를 새 수레에 실은 것이 죽음의 발단이라고 결론 짓고 다시 막대기를 만집니다.

철이는 그들이 준비한 새 수레가 말씀에 의한 정성이 아니고, 세상 사람들의 습관에 의한 정성이라는 것을 생각합니다. 그때 제사장은 다시 한번 두루마리를 펴서 "성물은 만지지 말지니 죽을까 하노라"[63]라는 말씀을 읽어 줍니다. 메지 않았던 잘못 이외에도 성물을 만진 잘못을 한 것입니다. 돌이켜보니 떡상과 분향단에도 막대기가 있었습니다. 그제서야 철이는 언약궤뿐만이 아니라 다른 성물들도 만지지 말라고 말씀하신 의미를 확실히 알게 됩니다.

말씀대로 하지 않고 사람의 생각대로 새 수레에 실었기 때문에 문제의 발단이 된 것은 사실이지만, 인간의 힘으로 언약궤를 지키려 했던 것 또한 스쳐 지나갈 수 없는 잘못이라는 것을 깨닫습니다. 언약궤를 돌보다가 죽은 불쌍한 웃사를 보면서 철이는 주님의 일을 '하는 것'이 중요한 것이 아니라, '말씀대로' 하는 것이 중요하다는 것을 새삼스럽게 배웁니다.

이 세상에서 진정으로 억울한 사람이 있다면 웃사와, 헌금하고 죽은 아나니아와 삽비라 부부가 아닐까 생각해 봅니다. 차라리 언약궤를 섬기지 않았던 것이 웃사에게 좋았을 것이고, 차라리 헌금을 하지 않았던 것이 아나니아와 삽비라에게 더 좋았을 것이라고 생각하면서 자신을 돌아봅니다. 한없이 부족하고 추한 자신을 보면서, 몇 번이고 찬송을 부릅니다.

영 죽을 나를 살리려 그 영광 버리고
그 부끄러운 십자가 날 위해 지셨네 날 위해 지셨네[64]

말씀대로

철이는 지성소에 그대로 머물고 싶었지만 저 바깥 세상을 향한 하나님의 사랑 때문에 밖으로 나가야 한다는 것을 말씀 안에서 배웁니다. 하나님은 힘겹게 지성소까지 들어온 한 영혼을 기뻐 받으시지만, 그에 못지않게 저 뜰 밖에서 하나님을 모르는 채 죽어 가는 영혼들을 사랑하신다고 생각하니, 이제까지 너무나 안이한 생활을 했던 것에 얼굴을 붉힙니다.

얼굴을 붉히다가 조급해집니다. 철이 자신도 아직 말씀대로가 아닌 자기 식대로 믿음 생활을 하고 있으며, 성소 안에도 안뜰에도 자기 식대로 믿음 생활을 하는 사람이 너무나 많다는 것을 알기 때문입니다. 하나님의 세상을 향한 심정을 조금이나마 배운 것에 감사하면서, 또 속히 주님의 보좌 앞에 다시 찾아올 것을 소원하면서 지성소를 나오려고 작정합니다.

제사장은 아쉬운 듯, 그러나 해야 할 일을 깨닫고 지성소를 나옵니다. 철이도 제사장의 뒤를 따라 나옵니다.

1. "다윗이 이스라엘에서 뺀 무리 삼만을 다시 모으고 일어나서 그 함께 있는 모든 사람으로 더불어 바알레유다로 가서 거기서 하나님의 궤를 메어 오려 하니 그 궤는 그룹들 사이에 좌정하신 만군의 여호와의 이름으로 이름하는 것이라 저희가 하나님의 궤를 새 수레에 싣고 산에 있는 아비나답의 집에서 나오는데 아비나답의 아들 웃사와 아효가 그 새 수레를 모니라 저희가 산에 있는 아비나답의 집에서 하나님의 궤를 싣고 나올 때에 아효는 궤 앞에서 행하고 다윗과 이스라엘 온 족속이 잣나무로 만든 여러 가지 악기와 수금과 비파와 소고와 양금과 제금으로 여호와 앞에서 주악하더라 저희가 나곤의 타작 마당에 이르러서는 소들이 뛰므로 웃사가 손을 들어 하나님의 궤를 붙들었더니 여호와 하나님이 웃사의 잘못함을 인하여 진노하사 저를 그 곳에서 치시니 저가 거기 하나님의 궤 곁에서 죽으니라 여호와께서 웃사를 충돌하시므로 다윗이 분하여 그 곳을 베레스웃사라 칭하니 그 이름이 오늘까지 이르니라 다윗이 그 날에 여호와를 두려워하여 가로되 여호와의 궤가 어찌 내게로 오리요 하고 여호와의 궤를 옮겨 다윗 성 자기에게로 메어 가기를 즐겨하지 아니하고 치우쳐 가드 사람 오벧에돔의 집으로 메어 간지라 여호와의 궤가 가드 사람 오벧에돔의 집에 석 달을 있었는데 여호와께서 오벧에돔과 그 온 집에 복을 주시니라"(삼하 6:1-11).

2. "가로되 레위 사람 외에는 하나님의 궤를 멜 수 없나니 이는 여호와께서 저희를 택하사 하나님의 궤를 메고 영원히 저를 섬기게 하셨음이니라 하고"(대상 15:2). "이에 제사장들과 레위 사람들이 이스라엘 하나님 여호와의 궤를 메고 올라가려 하여 몸을 성결케 하고"(대상 15:14).

3. "일이 많으면 꿈이 생기고 말이 많으면 우매자의 소리가 나타나느니라"(전 5:3). "꿈이 많으면 헛된 것이 많고 말이 많아도 그러하니 오직 너는 하나님을 경외할지니라"(전 5:7).

4. "주여 사람이 깬 후에는 꿈을 무시함같이 주께서 깨신 후에 저희 형상을 멸시하시리이다"(시 73:20).

5. 진리표

명제	서술	참과 거짓
참	참	참
참	거짓	거짓
거짓	참	참
거짓	거짓	참

6. 요한복음 10:10.

7. 후에 이 생각은 중간 지식이라는 개념과 연관되는 것으로서 잘못되고 부족한 것이라는 것을 배우게 되면서, 믿음이란 끊임없이 배우는 것이라는 사실을 깨달았습니다. 얼마큼 배울 자세가 되어 있느냐가 믿음이 얼마나 좋은가의 척도라는 말입니다.

8. 시편 118:17.

9. 물론 옛날 약이라 하고 새로운 약이라 하여 다른 것을 뜻하는 것이 아니라, 모두 예수님을 중심으로 하나로 연결되는 하나님의 말씀입니다.

10. Mennonite Information Center

   2209 Millstream Road, Lancaster, PA 17692.

   전화 (717)299−0954

11. "그가 이와 같이 그 사방을 척량하니 그 사방 담 안 마당의 장과 광이 오백 척씩이라 그 담은 거룩한 것과 속된 것을 구별하는 것이더라"(겔 42:20).

12. 성막은 전체 면적의 0.0025퍼센트에 해당.

13. 복음서 비교

복음서	색깔	상징	저자	대상자들	예수님의 모습
마태복음	자색	왕권(王權)	유대인 세리 마태	메시아를 기다리는 유대인	이스라엘 왕
마가복음	홍색	희생(犧牲)	로마인 선교사 마가	정복, 지배하려는 로마인	고난받고 희생하는 종
누가복음	백색	의(義)	희랍인 의사 누가	지고한 덕, 문화를 추구하는 희랍인	죄없고 완전한 인성의 그리스도
요한복음	청색	인자(人子)	오래 산 어부 요한	그리스도를 기다리는 신자	하늘에서 오신 하나님의 아들

14. 찬송가 193장

15. 찬송가 349장

16. 찬송가 202장

17. 복음성가

18. 찬송가 489장

19. '이상'이라는 말이 한글 개혁 성경에 159번, '꿈'이라는 말이 78번이나 나옵니다. 킹 제임스역에는 dream이라는 단어가 87번, vision이라는 단어가 96번 나옵니다. NIV역에는 dream이라는 단어가 93번, vision이라는 단어가 100번 나옵니다.

20. "내가 누울 때면 말하기를 언제나 일어날꼬, 언제나 밤이 갈꼬 하며 새벽까지 이리 뒤척, 저리 뒤척 하는구나 내 살에는 구더기와 흙 조각이 의복처럼 입혔고 내 가죽은 합창되었다가 터지는구나… 주께서 꿈으로 나를 놀래시고 이상으로 나를 두렵게 하시나이다"(욥 7:4-5, 14절).

21. 찬송가 182장

22. 1, 2, 3…을 양수(positive integer)라 하고 -1, -2, -3…을 음수(negative integer)라 합니다. 그러나 0은 그 어디에도 속하지 않습니다.

23. 출애굽기 37:17-24.

24. 요한복음 1:5-11.

25. 요한복음 8:12.

26. 마태복음 5:14.

27. 레위기 24:2-4.

28. 요한일서 2:27.

29. 고린도전서 2:12.

30. 누가복음 4:18-19.

31. 고린도전서 12:7.

32. 복음성가

33. 출애굽기 16:2-5.

34. 출애굽기 16:13-18.

35. 레위기 24:5-9.

36. 요한복음 6:35.

37. 신명기 8:3.

38. "향로를 취하여 여호와 앞 단 위에서 피운 불을 그것에 채우고 또 두 손에 곱게 간 향기로운 향을 채워 가지고 장 안에 들어가서"(레 16:12).

39. "여호와께서 모세에게 이르시되 너는 소합향과 나감향과 풍자향의 향품을 취하고 그 향품을 유향에 섞되 각기 동일한 중수로 하고 그것으로 향을 만들되 향 만드는 법대로 만들고 그것에 소금을 쳐서 성결하게 하고 그 향 얼마를 곱게 찧어 내가

너와 만날 회막 안 증거궤 앞에 두라 이 향은 너희에게 지극히 거룩하니라 네가 만들 향은 여호와를 위하여 거룩한 것이니 그 방법대로 너희를 위하여 만들지 말라"(출 30:34~37).

＊ 소합향은 향나무 향, 나감향은 조개 껍질 빻아서 만든 향, 풍자향은 고무나무에서 나온 향, 유향은 시체에 바르는 향이라고들 합니다.

40. 시편 141:2.

41. "때에 아말렉이 이르러 이스라엘과 르비딤에서 싸우니라 모세가 여호수아에게 이르되 우리를 위하여 사람들을 택하여 나가서 아말렉과 싸우라 내일 내가 하나님의 지팡이를 손에 잡고 산꼭대기에 서리라 여호수아가 모세의 말대로 행하여 아말렉과 싸우고 모세와 아론과 훌은 산꼭대기에 올라가서 모세가 손을 들면 이스라엘이 이기고 손을 내리면 아말렉이 이기더니 모세의 팔이 피곤하매 그들이 돌을 가져다가 모세의 아래에 놓아 그로 그 위에 앉게 하고 아론과 훌이 하나는 이 편에서 하나는 저편에서 모세의 손을 붙들어 올렸더니 그 손이 해가 지도록 내려오지 아니한지라 여호수아가 칼날로 아말렉과 그 백성을 쳐서 파하니라"(출 17:8~13).

42. 마태복음 6:33.

43. "그 옷 가장자리로 돌아가며 청색 자색 홍색실로 석류를 수놓고 금방울을 간격하여 달되 그 옷 가장자리로 돌아가며 한 금방울, 한 석류, 한 금방울, 한 석류가 있게 하라"(출 28:33~34).

44. 성경에는 36개의 금방울이라는 것이 구체적으로 나오지 않으나, 구약 학자인 폴 제어 박사의 연구에 의한 것임.

45. 고린도후서 5:2~4.

46. 마태복음 11:28~30.

47. 출애굽기 28:36~38.

48. Holiness to the Lord(qodesh yehovah)

49. 신명기 21:5.

50. 에스겔 34:4.

51. 이스라엘의 12지파를 나타내는 판결 흉패의 열두 보석에는 이스라엘(야곱)의 아들 레위와 요셉이 빠지고 그 대신 손자 므낫세와 에브라임이 들어감.

　　유다-홍보석, 잇사갈-황옥, 스불론-녹주옥, 르우벤-석류석, 시므온-남보석, 갓─홍마노, 에브라임─호박, 므낫세─백마노, 베냐민─자수정, 단─녹보석, 아셀─호마노, 납달리─벽옥이라 연결짓기도 하는데, 이 보석 배열은 2장에서 보았듯이 유다 진영, 르우벤 진영, 에브라임 진영, 단 진영이 배치된 것과 같음에 유의하십시오. 그리고 봉헌을 하거나 성막을 옮길 때도 유다 진, 르우벤 진, 에브라임 진, 단 진 순서로 하였음이 참으로 특이합니다.

52. 베드로전서 2:9.

53. "여호와께서 모세에게 이르시되 네 형 아론에게 이르라 성소의 장 안 법궤 위 속죄소 앞에 무시로 들어오지 말아서 사망을 면하라 내가 구름 가운데서 속죄소 위에 나타남이니라 아론이 성소에 들어오려면 수송아지로 속죄 제물을 삼고 숫양으로 번제물을 삼고 거룩한 세마포 속옷을 입으며 세마포 고의를 살에 입고 세마포 띠를 띠며 세마포 관을 쓸지니 이것들은 거룩한 옷이라 물로 몸을 씻고 입을 것이며"(레 16:2─4).

54. "벧세메스 사람들이 여호와의 궤를 들여다본고로 그들을 치사 (오만)칠십 인을 죽이신지라 여호와께서 백성을 쳐서 크게 살륙하셨으므로 백성이 애곡하였더라"(삼상 6:19).

55. "내가 네게 줄 증거판을 궤 속에 둘지며 정금으로 속죄소를 만들되 장이 이 규빗 반, 광이 일 규빗 반이 되게 하고 금으로 그룹 둘을 속죄소 두 끝에 쳐서 만들되 한 그룹은 이 끝에, 한 그룹은 저 끝에 곧 속죄소 두 끝에 속죄소와 한 덩이로 연하게 할지며 그룹들은 그 날개를 높이 펴서 그 날개로 속죄소를 덮으며 그 얼굴을 서로 대하여 속죄소를 향하게 하고 속죄소를 궤 위에 얹고 내가 네게 줄 증거판을 궤 속에 넣으라"(출 25:16─21).

56. 찬송가 27장

57. 마태복음 17:4.

58. 레위기 16:13.

59. "저희가 나곤의 타작 마당에 이르러서는 소들이 뛰므로 웃사가 손을 들어 하나님의 궤를 붙들었더니 여호와 하나님이 웃사의 잘못함을 인하여 진노하사 저를 그곳에서 치시니 저가 거기 하나님의 궤 곁에서 죽으니라"(삼하 6:6─7).

60. "여호와의 궤를 가져다가 수레에 싣고 속건제 드릴 금 보물은 상자에 담아 궤 곁에 두고 그것을 보내어 가게 하고"(삼상 6:8).

61. "여호수아가 또 제사장들에게 일러 가로되 언약궤를 메고 백성 앞서 건너라 하매

곧 언약궤를 메고 백성 앞서 나아가니라"(수 3:6).

62. 출애굽기 25:13−15.

63. 민수기 4:15.

64. 찬송가 27장